Une faucille en lame de silex (IVe millénaire av. J.-C.). La lame est insérée à l'extrémité incurvée du manche en bois de cerf.

Histoire de...

les révolutions agricoles

Pour les Européens contemporains, notamment pour les Français, l'évocation du passé proche est fortement imprégnée par des images concernant le monde agricole. Dès que l'on parle de traditions, on pense le plus souvent aux paysans et à un mode de vie qui donne l'impression d'être immémorial ; rien ne paraît plus stable et paisible que l'agriculture. Pourtant, si l'on se penche attentivement sur l'histoire de l'agriculture mondiale, on est vite amené à dépasser cette vision quelque peu conformiste.

À l'échelle de la longue histoire de l'humanité, l'agriculture est apparue très récemment, il y a seulement un peu plus de 10 000 ans, son « invention » caractérisant la dernière période de la préhistoire. Depuis, elle s'est répandue sur une grande partie de la Terre, mais en se diversifiant en fonction des conditions naturelles et de multiples facteurs humains. Les chercheurs qui étudient l'agriculture sur la longue durée distinguent ainsi différents systèmes agraires. Ceux-ci ne cessent d'évoluer et de se transformer. Leur étude permet d'appréhender leur complexité, elle met en évidence les transformations historiques et la diversité des agricultures du monde.

Certaines de ces transformations sont qualifiées par les préhistoriens, historiens, agronomes et autres spécialistes de « révolutions » au sens de grands changements, de nouveautés radicales. Ces dernières sont plus ou moins rapides et modifient tout ou seulement partie de l'agriculture mondiale. Elles ne s'opèrent pas en vase clos ; à chaque étape, changement de conditions naturelles parfois, innovations techniques, prégnance du pouvoir politique,

Les révolutions agricoles

Auteur :

Pierre Barbe.

Collaborateurs :

Lucien Buisson, Georges Delobbe, Christian Kresay, Michel Pellaton, Robert Poitrenaud.

Avertissement au lecteur

L'agriculture est un univers complexe et étroitement lié au fonctionnement des sociétés humaines, souvent difficile à appréhender. Notre propos est de montrer les grandes lignes des évolutions, qualifiées de *révolutions*, de l'agriculture mondiale depuis ses origines, sans toutefois prétendre à l'exhaustivité. Nous évoquerons les problèmes de l'agriculture mondiale contemporaine avant de conclure par une brève réflexion sur son avenir.

Extrait de la Tapisserie de Bayeux, XIe siècle : des bûcherons abattent des arbres.
Les seigneurs du Moyen Âge réglementent leur abattage des arbres.
Les défrichements systématiques diminuent la surface des forêts.

poids de l'économie, évolution des comportements culturels se mêlent, influençant les changements agricoles en cours ou, à l'inverse, étant influencés par eux.

C'est ainsi que, du néolithique à l'aube du XXIe siècle, l'agriculture a vécu d'énormes mutations, passant du travail manuel exclusif à l'utilisation des technologies les plus évoluées.

Loin de ce que l'on pourrait imaginer, même si l'agriculture actuelle est fortement marquée par la mondialisation, les agricultures du monde restent très diverses. La deuxième révolution agricole des Temps modernes a même accentué leurs inégalités ; dans le contexte actuel, elles ont des difficultés à nourrir l'humanité et celles des pays en développement peinent pour assurer une vie décente aux agriculteurs qui les pratiquent.

L'agriculture subit les avatars de la crise économique mondiale. Certains observateurs ou acteurs voient même en ces problèmes une des causes de cette crise et proposent des pistes pour commencer à la résoudre. Outre des modifications concernant des règles économiques mondiales, ils évoquent ce que pourrait être une nouvelle révolution agricole : la valorisation des agricultures des pays en développement afin qu'elles puissent contribuer à construire un avenir viable pour l'humanité.

ORIGINES ET FONDEMENTS DE L'AGRICULTURE

Se nourrir est pour l'homme, comme pour tous les êtres vivants, une nécessité biologique. La recherche archéologique nous renseigne sur les menus de nos ancêtres. Pendant des centaines de millénaires, les hommes ne mangent que ce qu'ils trouvent dans les milieux qu'ils occupent ; très vraisemblablement, à l'origine, ils consomment des végétaux puis, petit à petit, leur alimentation se diversifie avec la consommation de charognes et de petits animaux faciles à capturer. Au fil de l'évolution, l'homme devient chasseur, renforçant sa nourriture carnée, mais il découvre aussi les avantages de la cueillette systématique, moins hasardeuse que la chasse. Toutefois, l'homme reste prédateur, c'est-à-dire qu'il vit aux dépens de la nature et qu'il ne produit rien.

Déesse mère nourricière. Statuette en argile, en forme d'épi de maïs. Art maya, Amérique centrale, entre 100 et 600 de notre ère.

Il y a environ 15 000 ans, le climat de la Terre commence à se réchauffer. Les civilisations préhistoriques s'adaptent progressivement aux changements écologiques qui en résultent et glissent vers la période que les chercheurs appellent la « révolution néolithique ». Celle-ci se traduit essentiellement par la domestication de plantes et d'animaux, mais aussi par des modifications sociales liées notamment à la sédentarisation. Désormais, l'homme est capable de produire une grande partie de sa nourriture.

Les premiers systèmes de culture et d'élevage apparaissent ainsi il y a moins de 10 000 ans, dans quelques régions de la planète peu étendues et éloignées les unes des autres. À partir de ces foyers, l'agriculture se répand sur la majeure partie du globe. Des systèmes agraires différenciés naissent mais, dans chacun d'eux et à toutes les époques, les agriculteurs doivent composer avec la nature pour gérer au mieux les espaces agricoles.

L'HOMME PRÉDATEUR

Pendant des centaines de millénaires, les hommes se nourrissent grâce aux produits comestibles qu'ils trouvent dans la nature. Ils sont cueilleurs de baies, de fruits et de racines, ramasseurs d'escargots ou de coquillages, avant de devenir chasseurs et pêcheurs. Compte tenu de leur évolution culturelle, aucun autre mode de vie n'est envisageable.

Une évolution culturelle décisive

Au paléolithique supérieur, entre - 40 000 et - 10 000 ans, *Homo sapiens sapiens* acquiert une grande maîtrise de la taille de la pierre. Il conçoit des outils spécialisés pour fabriquer d'autres outils plus complexes, alliant l'utilisation de plusieurs matériaux dont le bois, l'os et l'ivoire.

Grâce à cet équipement, il peut désormais diversifier ses ressources alimentaires en chassant de nouvelles espèces, en développant la pêche et en récoltant plus efficacement certains végétaux. Il occupe et exploite de nouveaux milieux. Déjà présent en Afrique et en Eurasie, *Homo sapiens sapiens* gagne le Japon, l'Australie et des îles du Pacifique ; il pénètre en Amérique. Les préhistoriens considèrent qu'il y a 20 000 ans, l'homme est déjà établi sur l'ensemble des terres émergées, à l'exception des calottes glaciaires, de certaines îles et des zones de très haute altitude.

De la prédation à la sédentarisation

Entre 14 000 et 10 000 avant notre ère, le climat de la Terre se réchauffe, les calottes glaciaires fondent en partie et le niveau des mers monte de plusieurs mètres. De nouvelles formations végétales se développent : toundra, taïga et forêt de conifères et de feuillus dans les zones froides, forêt à arbres à feuilles caduques, lande océanique et prairie continentale en régions tempérées, forêt méditerranéenne toujours verte, steppe, savane arborée et forêt claire en zones sahariennes, forêt dense intertropicale.

L'homme s'adapte à ces nouvelles conditions naturelles. Il perfectionne et intensifie la chasse au gros gibier, ce qui entraîne la réduction des populations de certaines espèces comme le bison et le cheval et contribue à la disparition du mammouth au nord et du rhinocéros au sud. Puis la chasse au moyen et au petit gibier se développe au côté de la pêche et du ramassage des mollusques. La consommation de grains de céréales et de légumineuses sauvages devient importante. Souvent, les groupes humains se déplacent de campement en campement après avoir épuisé les ressources du voisinage.

Quand les ressources sont assez abondantes en un lieu privilégié, des groupes importants s'installent toute une saison et certains se sédentarisent plus longuement, car ils savent conserver de la nourriture. La technique de taille de la pierre est à son apogée. À cette époque, nommée *mésolithique*, l'espèce humaine a pratiquement atteint son aire d'extension actuelle, avec des modes de prédation différenciés adaptés aux milieux les plus divers.

L'homme consomme du gros gibier.
Dégagement d'un crâne de bison des steppes.
Fouille archéologique, Aven de Romain-la-Roche (Doubs).

LA RÉVOLUTION AGRICOLE NÉOLITHIQUE

Vers 10 000 ans avant notre ère, l'homme maîtrise un nouveau procédé de fabrication de l'outillage : le polissage de la pierre. C'est le début de l'époque néolithique. Il fabrique des haches, des herminettes en diverses roches dures et sait les réaiguiser. L'homme peut défricher, couper et façonner efficacement le bois pour construire. Ainsi, la sédentarisation s'intensifie. On utilise des outils innovants comme la meule, le mortier, le pilon pour broyer les graines des céréales sauvages récoltées. La poterie en terre cuite résistant au feu permet de cuire des bouillies, des soupes.

Reconstitution de la récolte de grains de céréales aux environs du VIIIe millénaire avant notre ère.
Les moissonneurs utilisent des faucilles, des corbeilles en vannerie.

Premières cultures, premiers élevages

Entre 8 000 et 3 000 ans avant notre ère, quelques groupes humains commencent à semer des plantes sauvages en vue de les multiplier et de les récolter ; de même, des animaux sont gardés en captivité pour en utiliser les ressources et les faire se reproduire. On est en présence de ce que les historiens appellent la *protoculture* et le *proto-élevage*, avec des populations de plantes et d'animaux qui n'ont pas perdu leur caractère sauvage. C'est alors que commence à s'installer un genre de vie basé sur la production de nourriture. Toutefois, cueillette, chasse et pêche conservent encore une place très importante dans la vie des communautés humaines.

Six foyers de néolithisation

La transformation des sociétés de prédateurs en sociétés de cultivateurs et d'éleveurs ou *néolithisation* s'accomplit très progressivement suivant des modalités d'organisation et de fonctionnement très diverses selon les régions du globe où elle a lieu.

À force d'être cultivées et élevées, les espèces sauvages acquièrent des caractères nouveaux ; elles deviennent des espèces domestiques qui sont à l'origine de la plupart des espèces encore cultivées et élevées de nos jours. Les sociétés de cultivateurs et d'éleveurs introduisent et développent ces espèces dans la majorité des écosystèmes de la Terre, les transformant ainsi en écosystèmes cultivés qui se différencieront de plus en plus de leur état originel. Cette transformation des milieux et du mode de vie des hommes est appelée « révolution agricole néolithique ».

Les chercheurs ont identifié six régions du monde où des groupes humains subsistant exclusivement de la prédation se sont tranformés en sociétés vivant essentiellement de la culture et de l'élevage.

Foyers d'origine et aires d'extension de la révolution agricole néolithique.

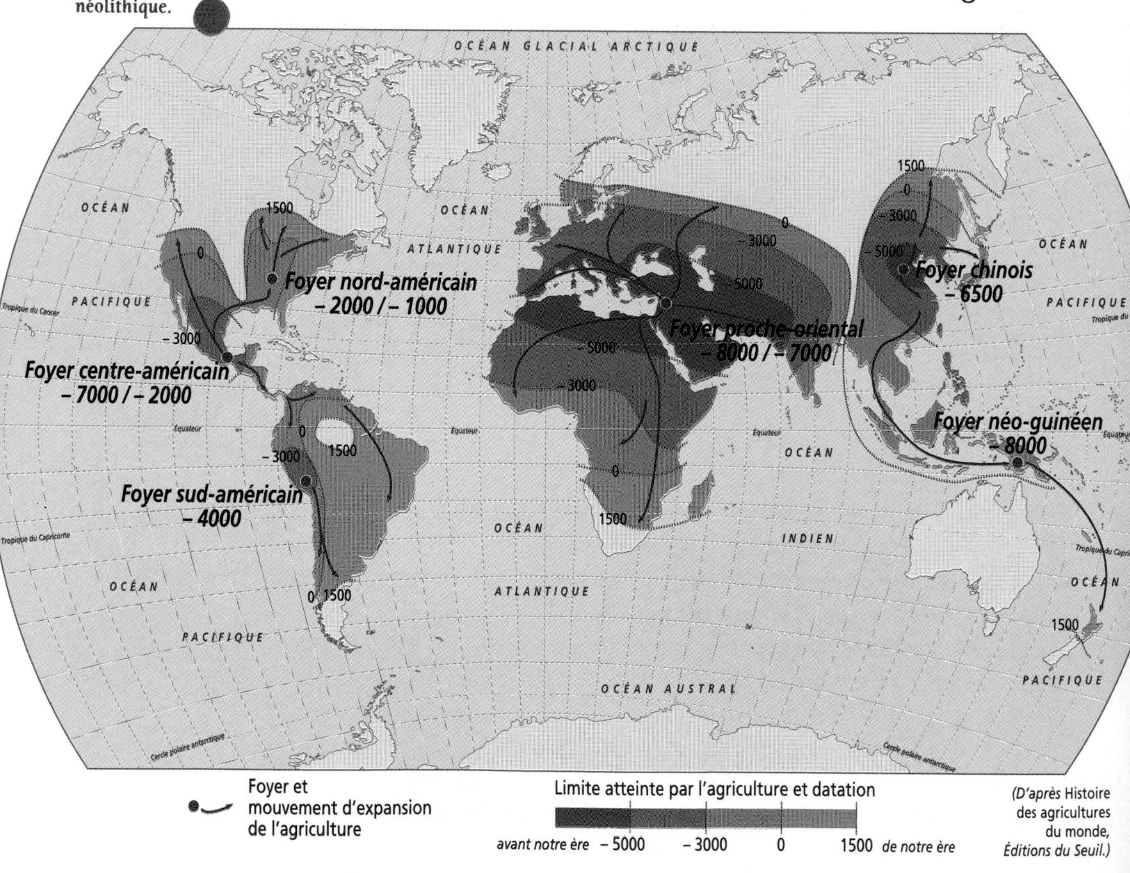

(D'après Histoire des agricultures du monde, Éditions du Seuil.)

Le foyer proche-oriental

En Syrie-Palestine et sur l'ensemble du « Croissant fertile », vers 10 000 avant notre ère, le réchauffement postglaciaire entraîne le remplacement de la steppe froide par une savane comportant des ressources végétales exploitables et une faune riche. Les populations qui préalablement chassaient les animaux des milieux froids adoptent progressivement la prédation basée sur l'exploitation des céréales sauvages (orge, engrain*, blé amidonnier) et des légumineuses (lentilles, pois, vesces...), complétée par les produits de la chasse et de la pêche. Grâce à ces ressources alimentaires, la population augmente et s'établit en villages composés de maisons rondes séparées. Le développement de ce nouveau mode de vie sédentaire s'accompagne d'innovations techniques, comme la spécialisation des outils en pierre polie et la diversification de la poterie.

* Engrain : petit épeautre.

Construction en demi-cercle. Site de Mallaha (Israël), Xe ou IXe millénaire avant notre ère.

Les premières traces d'engrain et de blé amidonnier domestiqués apparaissent 7 500 ans avant notre ère, puis suit la domestication de l'orge, du pois, de la lentille, de la vesce, de la gesse et du lin. Le chien aurait été domestiqué 14 000 ans avant notre ère ; la domestication de la chèvre remonterait à 9 500 ans, suivie par celles du porc, du mouton, de l'âne. La population est en forte croissance, les villages s'agrandissent et les maisons sont désormais rectangulaires et accolées.

Le foyer chinois

Les plus anciens sites chinois de cultivateurs sédentaires connus à ce jour remontent à 6 500 ans avant notre ère. Ils se situent sur les hautes terrasses de lœss* du moyen fleuve Jaune et de la rivière Wei, un de ses affluents. Les habitants cultivent le chou, le millet, le mûrier des oiseaux, le navet, la ramie**. Des restes d'ossements attestent de l'élevage de la poule, du porc, du bœuf qui auraient été domestiqués sur place.

* Lœss : limon d'origine éolienne très fertile.

** Ramie : la tige de la ramie fournit des fibres textiles et ses feuilles servent de fourrage.

Ces premiers agriculteurs sont contemporains de la dynastie dite de Yang Shao. Leurs pratiques culturales s'étendent vers l'est dans des régions plus arrosées sur les basses vallées du fleuve Jaune et du fleuve Bleu. Le soja, venu du nord-est, et le riz, provenant du sud-est, s'ajoutent aux plantes déjà domestiquées. Lors de cette extension agricole se développe la civilisation dite de Longshan cultivant majoritairement le riz. Les chercheurs pensent que cette céréale aurait été domestiquée de manière indépendante dans plusieurs régions d'Asie du Sud-Est.

Trois foyers américains

Dans le sud du Mexique, à partir de 9000 avant notre ère, des groupements de chasseurs-cueilleurs nomades semblent se former à la saison humide pour cueillir le piment et l'avocat. Accessoirement, ils en pratiquent la culture.

Deux mille ans plus tard, ces cultivateurs saisonniers se regroupent en villages, cultivant le maïs précoce, la courgette, la courge et la citrouille. Il y a environ 3 000 ans, ils commencent à cultiver le haricot.

C'est vers 1500 avant notre ère qu'est cultivé le coton pour confectionner du tissu. À partir de cette époque, l'agriculture prédomine et les populations se sédentarisent durablement. Dans ce foyer de néolithisation, la domestication des animaux intervient tardivement, il y a seulement 2 000 ans, pour le canard de Barbarie et le dindon.

Vers 4000 avant notre ère en Amérique du Sud, au nord des Andes, plusieurs plantes sont domestiquées : haricot, lupin, pomme de terre, ainsi que l'oca, un petit tubercule, et le quinoa qui fournit des graines comestibles. On domestique également des animaux : l'alpaga***, le lama et le cochon d'Inde. Ces domestications se répandent vraisemblablement dans une bonne partie des Andes.

*** Alpaga : voisin du lama, l'alpaga est élevé pour sa fourrure.

En Amérique du Nord, dans le bassin du Mississippi, entre 2000 et 1000 avant notre ère, des populations cultivent saisonnièrement la courge et le tournesol, sur les berges des lacs et des rivières. Ce n'est que tardivement, à partir de 250 avant notre ère, que ces sociétés prédatrices se sédentarisent ; elles domestiquent une sorte de millet, la petite orge et une plante herbacée, la renouée.

Le foyer néo-guinéen

Les chercheurs pensent que la culture du taro, plante dont on consomme les tubercules, débute il y a environ 10 000 ans en Nouvelle-Guinée, avec celle d'autres plantes comestibles provenant d'Océanie et du Sud-Est asiatique. À l'origine, ces espèces auraient été protégées, voire plantées en forêt, milieu où elles croissent naturellement.

Puis, mille ans plus tard, ces plantes auraient été cultivées dans des jardins gagnés par défrichement et clos pour les protéger de l'incursion des sangliers. Il y a environ 7 000 ans, les jardins de taro s'étendent sur des zones marécageuses drainées. Le porc domestique, provenant d'Asie, arrive dans le foyer néo-guinéen il y a moins de 5 000 ans et a pu se croiser avec des sangliers sauvages ou en voie de domestication.

Le mécanisme de l'extension agricole

Les chercheurs considèrent que les premières terres cultivées furent certainement des zones fertilisées par les crues des rivières et des sortes de jardins proches des habitations. Puis les hommes du néolithique pratiquent la culture sur abattis-brûlis en terrain boisé : ils abattent des arbres et les brûlent sans arracher leurs souches ; les parcelles ainsi défrichées sont cultivées deux ou trois années puis abandonnées à la friche pendant une ou plusieurs décennies avant nouveau défrichage. Comme les cultures sont temporaires, les populations doivent chercher de nouvelles zones à défricher ; il s'ensuit une migration géographique.

À partir de leurs foyers d'origine, les cultivateurs étendent les cultures sur abattis-brûlis dans les forêts les plus faciles à défricher et les plus fertiles ; dans ces milieux fermés, l'élevage est peu développé. Par contre, lorsqu'ils rencontrent des formations herbeuses, les migrants se consacrent davantage à l'élevage ; en effet, ces milieux sont difficiles à défricher avec les outils dont ils disposent, les cultures sont alors secondaires.

Haches en pierre polie. Leur forme, leur taille, la nature de la roche diffèrent.

Un polissoir.

Ainsi, au fur et à mesure de l'extension agraire néolithique, s'opère une première grande différenciation entre les sociétés de cultivateurs et celles d'éleveurs. Toutefois, très souvent, les cultivateurs élèvent des animaux et les éleveurs pratiquent quelques cultures.

Les aires de rayonnement des foyers

L'agriculture d'origine proche-orientale rayonne peu à peu dans toutes les directions à partir de 7 000 ans avant notre ère. Elle gagne d'abord la totalité du Proche-Orient et les rives orientales de la Méditerranée vers - 6000. Au cours des deux millénaires suivants, elle se répand sur les rives occidentales de la Méditerranée puis elle gagne l'Europe centrale par la vallée du Danube et enfin arrive en Europe du Nord-Ouest. Vers l'est, elle s'étend jusqu'en Inde et vers le sud jusqu'en Afrique centrale. Aux IIe et Ier millénaires avant notre ère, elle progresse vers l'est jusqu'à rejoindre la zone de l'agriculture du foyer chinois.

Labour à l'araire et troupeaux.
Gravure rupestre de la fin du IIe millénaire avant notre ère, Bohuslan, Suède.

Environ 4 000 ans avant notre ère, l'agriculture chinoise a gagné la Mandchourie, la Corée, le Japon, l'Asie centrale ; en Asie du Sud-Est, elle côtoie l'agriculture du foyer néo-guinéen et, en Inde, elle rencontre l'agriculture d'origine proche-orientale.

À base de maïs, l'agriculture du foyer centre-américain atteint au sud les Andes et la côte péruvienne vers 1 500 ans avant notre ère, et le Chili au début de notre ère en fusionnant avec l'agriculture du foyer sud-américain. Elle progresse vers l'est et le sud-est en contournant la forêt amazonienne. En progressant vers le nord, elle se mêle à l'agriculture existante ; vers l'an mille, elle atteint les Grands Lacs et le Saint-Laurent.

L'agriculture néo-guinéenne se disperse dans les îles indonésiennes et pacifiques en s'enrichissant de plantes et d'animaux provenant d'Asie.

L'agriculture néolithique a mis plusieurs millénaires pour gagner la majeure partie des régions du monde.

Archéologie expérimentale : la mouture des céréales avec un broyon (petite meule mobile) sur une grosse meule dormante.

De la prédation à la domestication

En étudiant le foyer de néolithisation proche-oriental, le mieux connu de tous les lieux d'émergence de l'agriculture, les chercheurs se sont interrogés sur les conditions du passage définitif de la prédation à la culture et à l'élevage chez les populations de chasseurs-cueilleurs sédentaires. Il semble que lorsque la population augmente, le temps de prédation s'accroît car il faut se déplacer plus loin pour trouver les ressources suffisantes pour tous les individus de la communauté ; au-delà d'un certain seuil de population, ce temps devient supérieur au temps de travail nécessaire à la production par culture et élevage. Il y aurait alors passage à un nouveau type d'économie.

Des chercheurs s'appuient sur l'exemple des céréales pour expliquer le phénomène de la domestication des plantes. À l'état sauvage, les graines d'une céréale germent sur plusieurs saisons plus ou moins favorables afin d'augmenter les chances de reproduction et de multiplication de l'espèce ; ceci est dû à la présence de substances inhibitrices de la germination dans l'ensemble des graines. Dès que des grains sont semés ensemble à la saison des pluies et récoltés ensemble, seuls les grains non dormants sont récoltés puis ressemés : les lignées à enveloppe épaisse sont ainsi éliminées. Le semis groupé réalisé par l'agriculteur sélectionne également les grains germant précocement qui sont les plus gros et les plus riches en sucre : les lignées à maturité tardive s'éliminent ainsi. De même disparaissent celles à tiges fragiles dont les grains tombent prématurément.

La culture sur plusieurs générations successives de céréales originellement sauvages opère un mécanisme de sélection quasi automatique : sont privilégiées les lignées de plantes aux caractères génétiques, morphologiques et comportementaux avantageux constituant « le syndrome de domestication ». Chez les autres plantes à graines, le processus de domestication est en gros le même.

Le protoélevage soustrait des animaux sauvages à leur mode de vie naturel. De génération en génération, une population animale soumise à la captivité perd certains caractères génétiques, comportementaux et morphologiques et d'autres sont sélectionnés ; il peut s'agir de caractères préexistant à l'état sauvage ou de caractères acquis pendant la domestication. Les mécanismes commandant cette évolution sont de même nature que pour les plantes, même si, chez les animaux, on n'a pas décelé un ensemble de gènes liés, sélectionnables en bloc, déterminant un syndrome de domestication.

Des hommes rassemblent leur troupeau. Peinture rupestre du tassili des Ajjers (Sahara algérien), IVe millénaire avant notre ère.

GÉRER LES ESPACES AGRICOLES

« L'espace rural est une réalité écologique qui comporte de multiples éléments naturels ou directement dérivés du milieu naturel : relief, sol, climat, eaux, végétaux et animaux. Les gestionnaires de cet espace peuvent dominer ces composants ou être dominés par eux ; ils peuvent en utiliser certains ou lutter contre d'autres. L'espace rural est donc un ensemble dans lequel les éléments naturels se combinent très étroitement avec les interventions humaines. »

Du milieu naturel à l'agrosystème

L'espace rural n'est pas le simple support physique des activités agricoles. C'est un écosystème organisé par l'homme pour produire une certaine qualité et une certaine quantité de matière végétale ou animale. L'homme crée ainsi un système agraire ou *agrosystème*. Ce dernier correspond au remplacement des équilibres naturels par des équilibres secondaires, instables, directement liés au type et au rythme de la mise en valeur.

Cependant, le fonctionnement du système agraire reste tributaire des mécanismes biochimiques naturels de la photosynthèse et de l'assimilation chlorophyllienne. Pour gérer les cultures, les paysans doivent composer avec les bases écologiques de tout agrosystème : le sol, le climat et l'eau. Les générations d'agriculteurs qui se sont succédé ont appris à composer avec et, parfois, à maîtriser les contraintes imposées par ces éléments pour mieux valoriser les terres cultivées.

Le sol, support complexe

Le sol est, au sens géologique, une formation superficielle d'épaisseur variable qui sert de support à l'activité agricole. C'est un milieu composite formé par l'altération de la roche-mère sous-jacente qui lui fournit ses éléments minéraux. Il reçoit des apports atmosphériques, oxygène, azote et eau notamment. Les éléments minéraux se combinent à la matière organique provenant de la couverture végétale et de la décomposition des êtres vivants, dans le cadre des grands cycles biogéochimiques.

Sol, air, soleil et eau sont les nourrisseurs du végétal. L'agriculture contemporaine y adjoint divers engrais.

Le sol est donc une composition vivante en perpétuelle évolution. C'est à son niveau que s'effectuent les échanges entre la matière minérale et la matière vivante. L'action de cultiver agit sur ces mécanismes en les accélérant, en les ralentissant ou en les bloquant. Le sol qui se forme à un moment donné se modifie et peut disparaître en fonction de son environnement ou de l'action humaine : il est donc fragile.

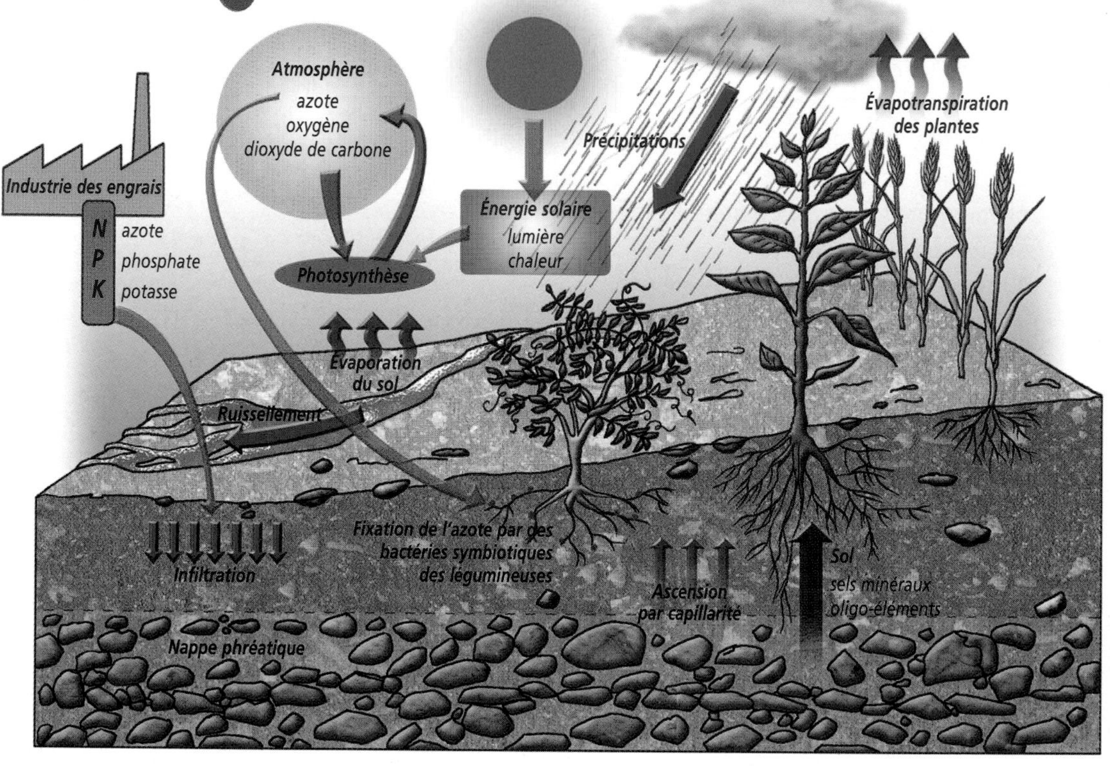

Fertiliser les sols

Du simple fait du prélèvement de la récolte, le sol cultivé s'appauvrit et perd de sa fertilité. Si le paysan veut obtenir durablement des récoltes, il doit maintenir celle-ci à un niveau suffisant. Dès le néolithique, les agriculteurs sont confrontés à ce problème. Le retour à la friche après culture a été une des premières solutions pour compenser les pertes. Dans les systèmes hydroagricoles antiques, les eaux de crue ou d'irrigation, chargées d'alluvions et de minéraux solubles, participent au renouvellement de la fertilité. Dans le système avec jachère pâturée médiéval, les terres laissées plus ou moins longtemps sans cultures sont enrichies par des déjections animales. L'apport de fumier, mélange de végétaux et de déjections animales, avant les labours n'apparaît que plus tardivement.

Une solution plus moderne encore consiste à cultiver une plante fixant un maximum de matières minérales puis à l'enfouir par labour afin qu'elle les restitue au sol combinées à sa matière organique. Les légumineuses que l'on cultive en association ou en rotation avec d'autres plantes nourrissent le sol en azote. L'agriculture moderne des pays développés est caractérisée par l'utilisation d'engrais minéraux ou de synthèse contenant en diverses proportions azote, acide phosphorique et potasse produits par l'industrie. Le labour joue un rôle essentiel dans la conservation de la fertilité. Il enfouit des débris végétaux favorisant l'humification* ; il a également une action bénéfique en diminuant le tassement du sol, en séparant ses éléments et en augmentant la taille des vides.

* Humidification : transformation de la matière organique en humus.

Composer avec le sol

Le travail du sol est plus ou moins aisé. Les terres les plus légères ont vraisemblablement été cultivées avant les terres argileuses, humides et collantes. Les terres lourdes n'ont pu être exploitées aisément qu'au moment de la fabrication de charrues en fer. Aujourd'hui même, sur ce type de sol, les labours doivent être réalisés dans de bonnes conditions d'humidité pour obtenir les meilleures récoltes possibles.

Le paysan doit aussi composer avec la pente. Dans le cas de pentes trop fortes, incultivables en l'état, il aménage des terrasses soutenues par des murs en pierres sèches. L'utilisation de la charrue à versoir

Culture de l'oignon doux en terrasses, dans les Cévennes.

puis la mécanisation ont conduit à délaisser ces zones, car les engins ne peuvent évoluer sur des superficies réduites et risquent de se renverser. Toutefois, de nos jours, des matériels modernes très spécialisés ont été conçus pour l'exploitation de prairies en montagne ou pour la culture mécanisée de pièces de vigne sur fortes pentes.

Un autre problème auquel est confronté le paysan est celui de l'érosion mécanique des sols par le vent et par le ruissellement des eaux. En France, en milieu méditerranéen, des excès de pâturage de longue durée ont décapé de leur sol des plateaux et des versants calcaires. Une mise en culture trop intense, des labours dans le sens de la pente favorisent le ruissellement, fragilisant ainsi le sol. Aux États-Unis, en 1934, l'érosion éolienne a arraché une grande partie du sol cultivable sur des terroirs peu arrosés. En effet, le mode de culture avec jachère travaillée déstabilisait le sol et le privait d'une végétation protectrice : 400 000 ha ont été stérilisés et des cuvettes de poussière se sont formées.

Bien d'autres menaces pèsent sur les sols cultivés. L'excès d'irrigation salinise les sols par accumulation de sels minéraux en surface et les rend stériles. À l'inverse, un drainage excessif provoque des fissures favorisant l'érosion éolienne. Les pratiques agricoles productivistes actuelles conduisent à l'accumulation dans le sol de composés divers qui peuvent par leur toxicité avoir des effets nocifs sur les végétaux et sur le reste de la chaîne alimentaire (animaux et hommes).

Cultiver en fonction du climat

Le climat se définit comme l'ensemble des caractéristiques de l'atmosphère et de leurs variations, en un lieu donné, sur une longue période.

On distingue plusieurs échelles de climat. À l'échelle planétaire, les grandes divisions climatiques définissent des climats zonaux selon la latitude ; des climats régionaux particuliers se distinguent dans chaque grande zone ; le climat local concerne une superficie plus réduite ; quant au microclimat, il touche une partie très petite d'un territoire.

Les paysans subissent directement les phénomènes météorologiques qui résultent de la circulation des masses d'air et des modifications qu'elles subissent du fait du relief. Ils doivent adapter leur système agraire à ces phénomènes dans la limite de ses possibilités techniques. Par contre, l'intervention humaine est envisageable à l'échelle des microclimats comme, par exemple, la plantation de haies coupe-vent, la protection de cultures légumières installées sous les ombrages des arbres fruitiers en pays méditerranéens. En montagne, les paysans pratiquent les cultures sur les versants ensoleillés exposés au sud, laissant les versants nord à la forêt. Tout système agricole s'adapte à un cycle climatique moyen. Les phénomènes qui n'entrent pas exactement dans ce rythme sont considérés par les paysans comme des catastrophes climatiques. Fortes gelées, été froid et pluvieux, sécheresse, inondations, orages de grêle... provoquent des calamités agricoles. Celles-ci sont difficilement prévisibles et dangereuses pour les récoltes ; toutefois, en fonction de leurs possibilités techniques, les paysans essaient de lutter contre ces calamités (actions paragrêle, prévention des gelées par diffusion de fumées ou par arrosage...).

Maîtriser l'eau

La conquête et l'utilisation d'un espace agricole dépendent de la maîtrise de l'eau. Les hommes ont conquis des terres agricoles par drainage et assainissement de vastes secteurs marécageux ; par poldérisation, ils ont asséché des marais littoraux. De grandes plaines alluviales ont été en partie gagnées sur l'eau par la combinaison de drainage et d'irrigation afin de faire disparaître des zones insalubres. L'écoulement violent de l'eau est un danger permanent pour certains espaces agricoles. Les hommes ont élevé des digues de protection contre les crues, ils ont construit des barrages créant des retenues d'eau pour en contrôler le débit. Ils ont aménagé des pentes pour réduire l'érosion par ruissellement.

Mais bien des zones climatiques nécessitent des apports d'eau pour le développement des cultures. Des systèmes agraires reposent intégralement sur l'irrigation, avec barrages et digues, canaux et rigoles. Là où c'est possible, l'arrosage est réalisé grâce à l'eau des nappes souterraines que l'on atteint en creusant des puits ; de nos jours, on pratique des forages profonds, notamment en Afrique et en Asie. Aujourd'hui, l'irrigation concerne 16 % de la superficie des terres cultivées dans le monde.

Champs sur l'emplacement de l'étang de Montady (Hérault) asséché au XIIIe siècle.

Dans les deux cas, excès ou manque d'eau, ces difficiles travaux n'ont pu être réalisés qu'avec des organisations sociales collectives.

LES GRANDS SYSTÈMES AGRAIRES MONDIAUX

L'agriculture néolithique se répand à travers le monde sous deux formes principales. L'élevage pastoral s'étend sur les milieux herbeux pâturables et on le retrouve aujourd'hui encore dans diverses steppes et savanes de la planète. La culture sur abattis-brûlis conquiert la plupart des forêts tempérées et tropicales où elle perdure toujours à notre époque. Mais ce dernier type de culture conduit à la déforestation, voire à la désertification des régions concernées.

Selon les climats et le développement des sociétés, naissent alors différents systèmes agraires postforestiers. Dans les régions arides s'installent des systèmes hydroagricoles gérés dans le cadre de sociétés très structurées. Dans les régions tropicales humides, les paysans pratiquent la riziculture aquatique. Dans les régions tropicales moyennement arrosées, la formation de savanes plus ou moins boisées conduit à divers types d'agriculture manuelle, avec ou sans élevage associé, peu différente de l'agriculture néolithique. Dans les régions tempérées d'Europe se développe la révolution agraire antique basée sur l'utilisation de l'araire tracté et de la pratique régulière de la jachère, permettant la refertilisation du sol ; elle coïncide avec le développement de sociétés militarisées. Puis, dans la moitié nord de l'Europe, grâce à des perfectionnements techniques, débute la révolution agricole du Moyen Âge qui, tout en conservant la jachère, remplace l'araire par la charrue, annonçant ainsi l'agriculture moderne.

Au tout début du XVIe siècle, en Amérique du Sud, la colonisation espagnole détruit l'agriculture inca très diversifiée ; elle plonge ainsi la paysannerie autochtone dans une pauvreté endémique qu'elle connaît encore de nos jours.

LES SYSTÈMES AGRAIRES FORESTIERS

Les systèmes de culture sur abattis-brûlis qui se développent lors de l'extension des foyers néolithiques sont encore appelés *systèmes agraires forestiers.* La fertilité du sol défriché et mis en culture, d'abord élevée, diminue dès la première récolte et les rendements des récoltes suivantes baissent rapidement. La parcelle produisant trop peu est alors abandonnée après sa courte période de culture.

Diversité des espèces végétales

Parfois, les agriculteurs ne plantent ou ne sèment qu'une seule espèce végétale qui leur fournit une grande part de leurs besoins caloriques. C'est le cas avec le maïs, le mil, le riz, l'igname, le manioc ou le taro.

Selon d'autres pratiques, la première année on profite de la fertilité maximum de la parcelle pour cultiver une plante principale, puis on la fait suivre de cultures dites secondaires comme des légumineuses, des légumes, des condiments ou des fruits. Ces plantes peuvent être associées pour satisfaire les besoins variés d'une population. Certains agriculteurs profitent de la dernière année de fertilité en installant une plante pluriannuelle qui pousse alors parmi la végétation sauvage, recolonisant la parcelle défrichée ; cette plante peut fournir des ressources d'appoint.

Alternance friche et cultures

La parcelle abandonnée reste en friche et se reboise naturellement. Les durées de la friche sont variables. En une cinquantaine d'années, le boisement se reconstitue et l'écosystème forestier reste prédominant. En moins de vingt ans, on obtient un taillis qu'il faut défricher complètement et brûler pour produire des cendres fertilisantes. Avec une friche d'une dizaine d'années ou moins, c'est la végétation herbacée qui domine, l'abattis-brûlis n'est plus possible : les cultures alternent avec une friche herbeuse, on évolue alors vers un système agraire postforestier.

Malgré leur caractère temporaire, les cultures doivent fournir chaque année suffisamment de nourriture aux familles d'agriculteurs. Chacune d'entre elles déboise l'espace nécessaire à la culture principale et à celle des plantes secondaires qui l'accompagnent.

Les familles sont regroupées en villages et les cultures migrent autour dans un rayon de plusieurs kilomètres. Le village dispose de friches à plusieurs stades, remises en culture les unes après les autres sur plusieurs années. On appelle *rotation* la répétition périodique sur une parcelle de la succession de cultures et de friches.

Des femmes wano (Nouvelle-Guinée) remontent au village leurs filets chargés de légumes récoltés sur des parcelles défrichées puis cultivées.

Les capacités de l'abattis-brûlis

Des études ont été menées dans les forêts tropicales d'Afrique, d'Amérique du Sud et d'Asie où, de nos jours, des populations vivent encore de la culture sur abattis-brûlis. Elles montrent que, tant que le nombre d'habitants au kilomètre carré ne dépasse pas un certain seuil, ce mode de culture permet, en général, une bonne reconstitution de la biomasse et de la fertilité du sol. Les populations disposant de réserves forestières vierges les conquièrent progressivement.

Grâce à cette dynamique pionnière, les systèmes agraires forestiers se sont progressivement répandus dans la majorité des milieux boisés cultivables de la Terre. Entre 8 000 et 3 000 avant notre ère, ils ont favorisé une forte croissance de la population mondiale qui, selon des estimations, serait passée de 5 à 50 millions d'habitants environ.

Des cultivateurs ivoiriens sèment du maïs sur un terrain qu'ils ont gagné par brûlis.

Menace et déforestation

Tant qu'il existe des réserves forestières vierges et quand la densité des habitants d'un village augmente trop, une partie de la population part défricher de nouvelles terres en avant du front de progression ; elle crée un nouveau village et se divise à nouveau lorsqu'elle atteint un nombre trop élevé.

Mais cette progression géographique bute parfois sur une chaîne montagneuse, un océan, une forêt incultivable comme la taïga ou un milieu herbeux. Si la population augmente, il faut étendre les champs en abattant les friches de plus en plus jeunes. On entre dans un processus de déforestation.

Au fil des siècles, l'éloignement du front de progression de la culture par abattis-brûlis peut aussi indirectement provoquer la déforestation dans son foyer d'origine. En cas d'augmentation de la population dans ce foyer, les gens en surnombre sont trop éloignés des nouvelles zones à conquérir. En conséquence, dans les zones anciennement conquises, l'augmentation de la population conduit à un déboisement parfois définitif.

Chaque fois que l'agriculture doit gagner des terrains sur la forêt, on retrouve des similitudes dans l'occupation des sols avec celle des systèmes à abattis-brûlis. C'est notamment le cas en Europe lors des grands défrichements médiévaux *(voir page 41)*.

Autour d'un village marocain de l'Atlas, on aperçoit des parcelles cultivées gagnées sur la forêt.

Ainsi, les systèmes agraires forestiers se répandent pendant des millénaires à des milliers de kilomètres de leurs foyers d'origine néolithique, alors que la déforestation sévit depuis longtemps dans ces foyers. Le rythme de la progression et la déforestation sont d'autant plus rapides dans certaines régions du monde que celles-ci sont couvertes de milieux boisés aisément pénétrables.

Détérioration des sols

Lors du passage d'une friche boisée à une friche herbeuse, la production de cendres fertilisantes par le brûlis est fortement réduite ou disparaît; la production d'humus par décomposition de débris végétaux diminue. Ainsi, le sol accumule moins d'eau et de sels minéraux provenant de la minéralisation de l'humus; sa fertilité baisse et ceci d'autant plus que le climat est chaud.

Dans des régions très sèches, la déshydratation des sols dénudés réduit encore leur capacité de stockage en minéraux fertilisants. Le durcissement du sol gêne l'enracinement des plantes.

Dans les régions tropicales à forte pluviométrie, l'eau qui tombe sur des terrains déboisés s'accumule en nappes profondes. À la saison sèche, l'eau remonte, les oxydes de fer dont elle est chargée se cristallisent au contact de l'air et cimentent les composants du sol qui devient une croûte stérile.

Dans les zones déboisées très humides et accidentées, l'eau de ruissellement n'est plus freinée et provoque des crues catastrophiques qui arrachent d'énormes masses de terre. Celles-ci s'accumulent dans les parties basses des vallées et dans les deltas dont elles enrichissent les sols; en amont, les terres ravinées, très appauvries, deviennent incultivables.

Effondrement des systèmes forestiers

Au fil des millénaires, les systèmes agraires forestiers s'étendent sur les forêts et les milieux boisés de la planète; ils se perpétuent pendant des siècles. Puis l'augmentation importante de la population et la répétition fréquente des cultures entraînent le déboisement qui frappe peu à peu l'ensemble des milieux anciennement boisés et cultivés. Les chercheurs pensent qu'il s'agit vraisemblablement du plus grand bouleversement écologique de l'histoire: la quantité de biomasse a fortement diminué ainsi que les réserves d'eau et d'humus. Les systèmes agraires forestiers qui ont longtemps nourri l'humanité s'effondrent peu à peu.

Déforestation et assèchement du climat

La destruction de vastes zones boisées provoque la disparition de stocks d'eau dans la végétation et dans les couches supérieures du sol. Ainsi, les réserves d'eau se reconstituant à chaque saison des pluies diminuent, elles s'épuisent vite et l'évapotranspiration cesse plus rapidement en début de saison sèche. Les systèmes nuageux passant alors sur la région ne rencontrent plus un front humide et rafraîchi, d'où une forte baisse des pluies et un allongement de la saison sèche. La saison des cultures raccourcit et les rendements diminuent : c'est le cas en zone tropicale faiblement arrosée, en climat méditerranéen des zones tempérées chaudes et aussi dans les zones tempérées froides. En zone subtropicale à longue saison sèche, l'assèchement du sol et du climat peuvent conduire à une très faible pluviométrie, facteur de désertification.

Avant le recul d'une forêt chaude et humide, des systèmes nuageux allant arroser des régions éloignées passaient sur cette forêt et s'alimentaient en eau grâce à l'évapotranspiration. Après déforestation, les nuages ne sont plus alimentés et la pluviométrie diminue dans les régions qu'ils arrosaient habituellement.

Déforestation aux Philippines pour la création de viviers.

LES SYSTÈMES HYDROAGRICOLES

Dans les régions en voie d'aridification, la seule solution pour continuer à cultiver est d'effectuer des apports d'eau là où cela est possible. Il s'ensuit des migrations humaines vers des zones inondables ou disposant de réserves d'eau souterraines. Dans ces lieux se met en place l'hydroagriculture. Celle-ci est aussi pratiquée dans des régions chaudes abondamment arrosées comme l'Asie des moussons.

Naissance de l'hydroagriculture en milieu aride

Environ 4 000 ans avant notre ère, les régions les plus proches du foyer agraire proche-oriental sont depuis longtemps cultivées et parcourues par les troupeaux. Le Sahara, l'Arabie et la Perse, naturellement peu arrosés et originellement couverts par des forêts claires, des savanes ou des steppes arborées, sont déjà déboisés. Faute de végétation, le sol est privé de matière organique, les cultures poussant grâce à la pluie deviennent impossibles et l'activité pastorale régresse.

Ainsi, les peuples cultivateurs et éleveurs de ce vaste secteur géographique aridifié commencent à migrer vers les régions périphériques mieux approvisionnées en eau. Ils gagnent en particulier les vastes vallées de l'Euphrate, du Tigre, de l'Indus et du Nil cernées par le désert. Ils y développent de nouvelles formes agraires basées sur la gestion de l'eau. Dans ce contexte, naissent les premières grandes civilisations de la haute Antiquité.

Gérer les crues

Dans les vallées de ces grands fleuves, les agriculteurs doivent réaliser des aménagements pour arroser suffisamment leurs cultures, pour évacuer les excès d'eau nuisibles et pour protéger les espaces cultivés des crues.

Un des meilleurs exemples de cette gestion de l'eau est fourni par la vallée du Nil. Ce fleuve débordait de juillet à octobre et, pendant plusieurs semaines, ses eaux recouvraient la plus grande partie de sa vallée et de son delta ; en se retirant, elles laissaient un sol enrichi d'alluvions et gorgé d'eau favorable aux cultures. Ainsi, vraisemblablement, les premiers occupants des rives ont d'abord mis en valeur le lit majeur du fleuve après les crues, effectuant les récoltes au printemps : céréales (blé, millet et orge), légumineuses alimentaires (pois et lentilles) et enfin trèfle, fourrage enrichissant le sol. À partir de 4000 avant notre ère, ce système dit de cultures de décrue d'hiver s'étend au prix d'aménagements hydrauliques de plus en plus importants. À l'aide de simples digues, les agriculteurs isolent des bassins de décrue retenant l'eau pour irriguer et protéger les champs d'éventuelles nouvelles crues. Puis de véritables chaînes de bassins sont organisées, s'échelonnant entre les berges et le désert. Enfin de grandes digues protectrices sont édifiées le long du Nil et des canaux relient les chaînes de bassins. Ces ouvrages répartissent les crues les plus faibles sur l'ensemble de la vallée, amortissent les crues exceptionnelles et conduisent de l'eau vers des terres non inondables. Ces aménagements collectifs sont réalisés, utilisés et entretenus sous l'autorité de responsables de l'hydraulique dépendant du pouvoir du village, de la cité locale ou du royaume.

Schéma d'aménagement des bassins de décrue (en rouge, chaîne longitudinale de bassins ; en jaune, chaîne transversale).

Canal d'amenée

Digue ou levée de terre

Bourrelets de berge surélevés

Les très nombreux paysans vivent dans des villages installés sur les points hauts de la vallée. Ils cultivent des lopins de terre cédés par les

Les travaux des champs sous le règne de Thoutmosis III, vers 1475 avant notre ère.

[Musée du Louvre, Paris]

autorités mais sont astreints à de lourdes corvées au profit de l'État, du Temple ou des hauts dignitaires. Ils doivent également payer des impôts en nature qui subviennent aux besoins d'autres classes de la société, contribuent à la construction de monuments, servent à constituer des stocks alimentaires en cas de crues irrégulières et soutiennent l'entretien et l'extension des aménagements hydrauliques.

Irriguer les cultures

Dans les vallées irrégulièrement inondées, les paysans doivent prélever l'eau du fleuve ou celle des nappes pour pratiquer des cultures irriguées. Les premiers paysans arrosent manuellement à l'aide de cruches en terre à proximité immédiate des points d'eau. Plus tard ils irriguent des superficies plus vastes grâce à l'adoption du puits à balancier originaire de Mésopotamie. Au IVe siècle avant notre ère, les conquêtes grecques introduisent la vis d'Archimède et la roue à godets, machines efficaces actionnées par des esclaves. Ces techniques de puisage et d'élévation de l'eau favorisent l'expansion des cultures irriguées. Elle sont pratiquées à différentes saisons selon la situation des parcelles.

Le long du Nil, les terres élevées sont cultivées pendant les crues d'été ou en automne ; en hiver ou au printemps, entre deux crues, on cultive les basses zones inondables et, en toute saison, les zones protégées des crues par des digues de terre ou des levées naturelles. Les systèmes d'irrigation fonctionnent à côté des cultures de décrue d'hiver.

Puits à balancier

Reconstitution de matériel d'arrosage et de machines à pomper l'eau d'irrigation dans l'Égypte antique et moyenâgeuse.

Portage d'eau par palanche et arrosage à la cruche

Vis d'Archimède

La riziculture aquatique

Plus de 4 000 ans avant notre ère, le riz aquatique, c'est-à-dire qui pousse en terrain inondé, commence à être cultivé dans plusieurs régions d'Asie des moussons, de l'Inde à la Chine méridionale ; ces zones tropicales humides reçoivent plusieurs mètres d'eau par an. Cette culture s'étend ensuite à l'ensemble des régions tropicales et intertropicales d'Asie, avant de se répandre sur les régions tempérées chaudes d'Asie, d'Europe et d'Amérique. Il y a environ 3 500 ans, une espèce de riz aquatique d'origine africaine est domestiquée et se répand en Afrique.

La riziculture aquatique s'organise par l'aménagement de plans d'eau artificiels, avec de petits bassins entourés de petites digues. La construction de terrasses permet la culture du riz dans les zones montagneuses. Dans les vallées et deltas inondables, au prix d'importants aménagements, digues, canaux et bassins, le riz bénéficie à la fois des eaux pluviales et de la répartition des eaux de crues. La pratique de l'irrigation permet de multiplier les récoltes et d'étendre la riziculture dans les milieux subtropicaux et tempérés chauds. Le repiquage du riz, l'utilisation de la traction animale pour la préparation des sols puis, plus tard, la mécanisation et la sélection des variétés feront considérablement progresser la culture de cette plante. De nos jours, le riz constitue la base de la nourriture du tiers de l'humanité.

Repiquage du riz sur les hauts plateaux à Madagascar.

LA RÉVOLUTION AGRAIRE ANTIQUE

Le déboisement des régions tempérées débute à l'âge des métaux, 2 500 ans avant notre ère, sur le pourtour méditerranéen. Il atteint progressivement les régions tempérées froides de l'Europe. C'est à cette époque que les paysans commencent à pratiquer la culture des céréales en alternance avec une friche herbeuse ; ils élèvent des animaux qui les aident à fertiliser les sols, à tracter et à transporter. Ces pratiques rompent avec les systèmes agraires forestiers, notamment en créant des champs permanents et en associant les animaux domestiques à l'exploitation de l'espace agraire. C'est la mise en place des systèmes agraires à jachère et culture attelée légère dans le cadre de ce que les chercheurs appellent la « révolution agraire antique ».

Cultures à jachère et élevage associé

Les terres labourables constituent l'*ager*. Après culture des céréales qui fournissent les trois quarts de la ration de l'époque, ces terres sont mises en jachère : elles ne sont plus cultivées pendant un peu plus d'un an. Puis elles sont de nouveau ensemencées. Cette rotation culture et jachère s'appelle un *assolement*.

Les animaux paissent sur les pâturages périphériques qui forment le *saltus*. Le soir, ils sont conduits sur les jachères où, par leurs déjections, ils opèrent un certain transfert de fertilité des pâturages vers les parcelles labourables. Les paysans utilisent les animaux comme l'âne, le mulet ou le bœuf pour tirer l'araire, un outil qui scarifie le sol sans le retourner, contribuant à détruire les mauvaises herbes.

Différents modèles d'araire.

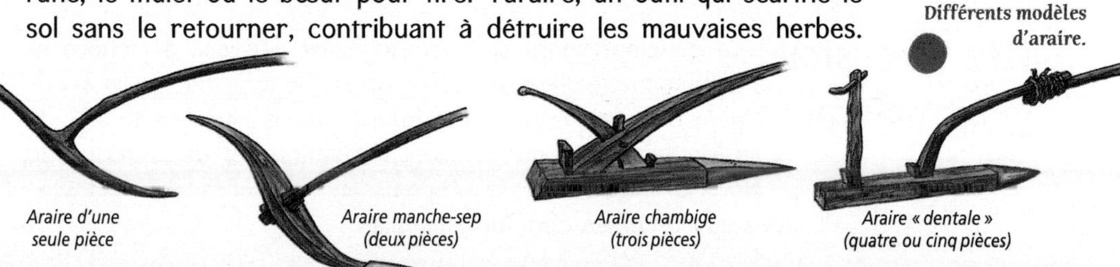

Ce travail complète les labourages manuels à la bêche et à la houe qui retournent complètement le sol. Les animaux transportent aussi des charges légères sur des bâts.

Rotation biennale sur une parcelle.

Autre forme de rotation biennale*.

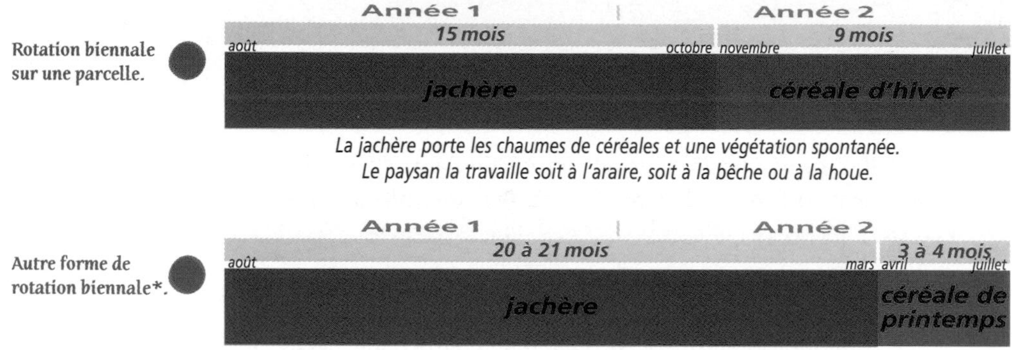

La jachère porte les chaumes de céréales et une végétation spontanée.
Le paysan la travaille soit à l'araire, soit à la bêche ou à la houe.

* Dans le cas où le paysan ne peut semer en automne ou si son semis ne réussit pas.

Un territoire agricole fractionné

Dans la campagne antique, il existe des terrains boisés non défrichés pour des raisons diverses ; ces zones qui ont conservé de grands arbres constituent, selon leur superficie, une forêt, un bois ou un bosquet. Leur ensemble s'appelle la *silva*. Cette dernière fournit du bois d'œuvre et de chauffage ; elle doit être d'autant plus vaste que le climat est froid. Près des habitations, les paysans cultivent en permanence des jardins-vergers qui constituent l'*hortus*, le quatrième espace de ces nouveaux écosystèmes cultivés. Enrichis par les déchets domestiques, les cendres et des déjections animales, ils produisent des légumes et des fruits.

En général, les habitations sont situées le plus près possible des terres labourables regroupées pour éviter de longs déplacements et des transports fastidieux. Les villages réunissent ainsi seulement quelques centaines d'habitants. Si le territoire villageois, ou « finage », est trop accidenté, entrecoupé de terres incultivables, l'ager est morcelé. À l'extrême, lorsque les étendues incultivables sont très vastes, l'habitat s'éparpille en petits groupes de maisons, ou hameaux, voire en exploitations isolées.

Une extension géographique limitée

Le développement de ces systèmes agraires à jachère et culture attelée légère s'effectue sur le long terme. Ils occupent un vaste espace s'étendant sur les rives orientales de la Méditerranée, de l'Oural à l'Atlantique et de l'Afrique du Nord à la Scandinavie, connaissant de nécessaires adaptations aux diverses conditions locales.

Leur extension géographique est toutefois limitée par des conditions naturelles. Dans les régions les plus méridionales d'Afrique du Nord, chaudes et sèches, ces systèmes agraires laissent place à des systèmes pastoraux et à la culture irriguée dans les oasis. La culture attelée légère ne convient pas non plus aux régions froides de montagne et du nord de l'Europe qui restent boisées.

Une production limitée

Des études montrent que la capacité de production des systèmes issus de la révolution agraire antique est assez limitée. En effet, les rendements agricoles nets, c'est-à-dire la quantité de matière végétale consommable récoltée par hectare, sont modestes, ce qui est le cas pour les céréales.

Plusieurs causes provoquent cette situation. Le sol n'est pas parfaitement préparé avant les semailles à cause de la faiblesse des moyens techniques de labourage et de la pénibilité du travail ; la fertilisation par le pacage nocturne des animaux sur l'ager est peu efficace et, avec des moyens de transport limités, les paysans ne peuvent pas tranférer d'importantes quantités de fumier sur les terres labourables. Ces conditions limitant la superficie moyenne cultivée par chaque paysan, la production globale de nourriture est faible et suffit à peine à nourrir la population. C'est pourquoi s'établit une crise chronique des sociétés méditerranéennes et européennes de l'Antiquité.

Conquêtes et colonisation

Au moment où s'étendent les systèmes à jachère et élevage associé se développent palais, cités, États et empires. Entre 2000 et 1500 avant notre ère, c'est le cas des palais de Crète et du Péloponnèse et des cités-États d'Asie Mineure. Entre 1000 et 500 avant notre ère se forment les cités phéniciennes et grecques qui essaiment en Méditerranée centrale et occidentale (Carthage, Syracuse, Volsinies...). Rome prend son essor 500 ans avant notre ère et constitue progressivement un vaste empire périméditerranéen et européen. Puis, à partir du Ve siècle de notre ère, apparaissent, plus au nord, les royaumes et les empires germaniques, slaves et scandinaves.

Dans ces diverses sociétés, malgré le défrichage de vastes zones forestières, le manque de terres cultivables et la pénurie de vivres se font cruellement sentir. Une partie de la population part en expéditions de pillage et les fréquentes guerres provoquent la militarisation croissante des sociétés méditerranéennes et européennes de l'Antiquité. Les sociétés les plus puissantes colonisent alors les territoires d'autres peuples et résolvent leurs problèmes d'approvisionnement soit en leur imposant un tribut, soit en exploitant leurs terres à leur profit. Pour nourrir la partie de la population soustraite au travail agricole (guerriers, magistrats, nobles, commerçants, artisans), les conquérants ont un besoin croissant de colonies et recourent à l'esclavage. C'est ainsi qu'en Gaule, à côté de l'économie de subsistance, les Romains installent une économie de surplus gérée au niveau de moyennes et de grandes propriétés. La ville devient un lieu de consommation que les campagnes environnantes doivent approvisionner.

Reconstitution de la meunerie de Barbegal, près d'Arles (Bouches-du-Rhône).

Grâce aux seize moulins construits en deux séries parallèles et alimentés par l'eau d'un aqueduc, elle pouvait fournir 28 tonnes de farine par jour. C'étaient les terres céréalières très fertiles des environs qui procuraient les grains.

Les vestiges de la meunerie qui daterait de la fin du IIIe siècle.

L'exploitation des campagnes par les Romains

En Gaule, sur les meilleures terres, les colonisateurs romains créent de grands domaines *(fundi)*. Outre des terroirs agricoles, dépassant parfois le millier d'hectares, ces derniers comprennent la *villa*, ensemble de constructions composé de la luxueuse résidence des propriétaires et des bâtiments d'exploitation. Parmi ces derniers, des « ateliers » où l'on produit tout ce qui est nécessaire au travail agricole et à la vie des habitants.

Les Romains organisent le découpage méthodique de la terre en lots carrés ou rectangulaires de superficie égale : c'est la centuriation. Une partie du domaine est exploitée par le maître qui y fait travailler des esclaves sous la direction d'un intendant ; ce personnel vit dans la villa. L'autre partie est divisée en parcelles exploitées par des fermiers, qui paient des redevances en argent et en nature et vivent dans de modestes demeures isolées ou groupées en hameaux *(vici)*. Des études archéologiques tendent à prouver que les petits et moyens domaines pratiquent des productions variées, alors que les plus grands sont spécialisés. Il est probable qu'aux abords des villes, les *villae* produisent des aliments pour les citadins tandis que, dans les régions plus écartées, les cultures sont destinées à l'exportation. Des historiens pensent que, par exemple dans le Nord et dans l'Est, les grandes exploitations ont pour mission de ravitailler les armées romaines. Malgré cette spécialisation, les cultures d'appoint, l'élevage et les productions artisanales subsistent.

Repérage par prospection aérienne de l'emplacement d'une grande villa gallo-romaine, à Warfusée (Somme).

LA RÉVOLUTION AGRAIRE MÉDIÉVALE

Les systèmes agraires à jachère et culture attelée légère perdurent durant tout le haut Moyen Âge et jusqu'au XIe siècle. À partir de cette époque, un nouvel outillage et de nouveaux moyens techniques, connus parfois depuis longtemps, commencent à se répandre. Leur introduction participe de la tranformation des systèmes agraires en place.

Une révolution technologique

Apparue en Gaule au dernier siècle avant notre ère, la faux est un outil beaucoup plus efficace que la faucille ; ce n'est que vers l'an mille, avec les progrès de la métallurgie et de l'artisanat rural, que son usage s'étend. Les paysans coupent alors plus facilement l'herbe et, en la faisant sécher, obtiennent du foin qui peut être stocké pour nourrir les animaux en hiver.

Cette pratique connue ne pouvait guère se développer, car les moyens de transport étaient limités. C'est à partir du milieu du Moyen Âge que le char à roues commence à être utilisé en agriculture. On peut ainsi transporter plus facilement le foin.

En aménageant une grange à foin et un local réservé aux animaux (bergerie, étable, écurie), on peut garder ceux-ci et les nourrir près de la maison, notamment en hiver dans les régions au climat rigoureux. En conséquence, les déjections animales, mêlées à la litière* végétale, produisent du fumier qui peut désormais être transporté sur les jachères avant les labours pour fertiliser le sol. Transport et traction animale progressent également par la modification des techniques d'attelage. Pour le cheval, à partir du XIe siècle, on utilise, à la place des bricoles de poitrail, le collier d'épaule rigide qui permet à un seul animal de tirer de lourdes charges. Pour les bœufs, le joug de garrot est remplacé par le joug de cornes puis par le joug frontal. L'usage des fers cloutés sous les sabots des bovins et des chevaux améliore encore la traction animale. Le cheval est de plus en plus utilisé pour les transports et pour la traction lors des labours.

* Litière : couche (lit) de paille ou d'autre matière végétale étendue sur le sol des bâtiments d'élevage et sur laquelle se couche le bétail.

À partir des années mille, la charrue, nouvel instrument de labour, se répand. Son travail est beaucoup plus efficace que celui de l'araire. Elle réalise un labour profond relativement rapide et capable d'enfouir suffisamment le fumier. L'utilisation complémentaire de la herse constitue une autre nouveauté à laquelle s'ajoute l'usage du rouleau pour tasser la terre ensemencée.

Grâce à ces innovations, les paysans glissent vers la pratique de la culture dite attelée lourde.

De nouvelles pratiques agraires

Puisque désormais on peut plus aisément faucher l'herbe et transporter le foin, une partie des herbages naturels est clôturée et transformée en prés de fauche. Ces prés sont établis sur des terrains pas très accidentés sans pierres, souvent dans des bas-fonds humides peu favorables au pacage du bétail. Grâce au stockage, les paysans disposent de fourrage en hiver et peuvent donc augmenter leur cheptel* à condition de garder suffisamment de pâturages pour la belle saison. Il semble que, entre le XIe et le XIIIe siècle, le nombre de bestiaux ait été multiplié par quatre ou six.

* Cheptel : ensemble du bétail d'une exploitation, d'une région, d'un pays.

À la belle saison, les animaux continuent à être parqués durant la nuit sur les jachères qu'ils fertilisent et l'épandage de fumier améliore cette fertilisation. Ce transfert accru de fertilité autorise l'augmentation de la proportion des terres labourées qui occupent désormais une superficie égale ou supérieure à celle des herbages. Les apports de fumier améliorent le rendement des céréales ; en climat tempéré froid, cette fumure a en plus un effet prolongé : le paysan peut envisager une seconde culture à la suite de la première. Ainsi, à partir du XIIIe siècle commence à se répandre la rotation triennale : pendant neuf mois, de novembre à juillet, on cultive une céréale d'hiver ; sur huit mois, d'août à mars de la seconde année, c'est la petite jachère ; les quatre mois d'avril à juillet, on exploite une céréale de printemps ; puis, d'août à octobre de la troisième année, on laisse quinze mois de grande jachère. La petite jachère est labourée une fois, la grande jachère peut être labourée trois fois avec enfouissement de fumier. La terre est ainsi mieux ameublie, aérée, désherbée et fertilisée qu'avec le travail à l'araire. Avec la rotation triennale, les travaux agricoles s'étalent mieux sur l'année. Enfin, en cultivant deux céréales à la suite, on amortit les conséquences négatives d'une mauvaise récolte.

La combinaison de ces nouvelles pratiques améliore les rendements. Les chercheurs s'accordent à dire que celui des céréales peut doubler avec la pratique de la culture à jachère attelée lourde. La production

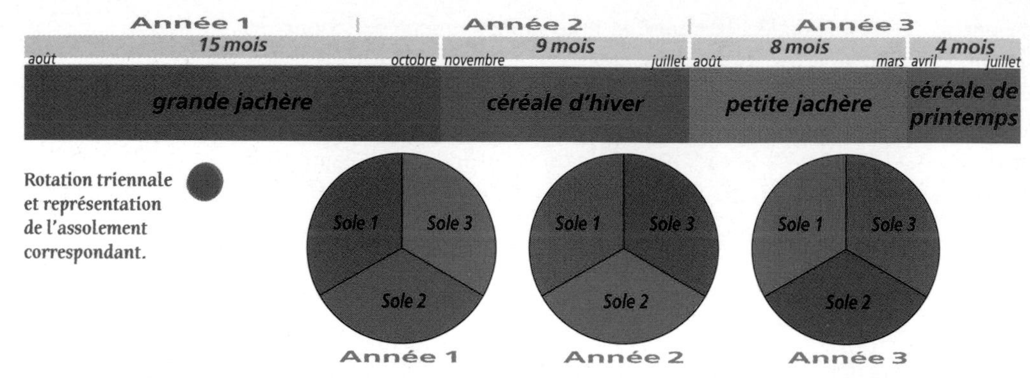

Rotation triennale et représentation de l'assolement correspondant.

subvient aux besoins des familles paysannes mais dégage aussi des surplus importants. L'ensemble de ces changements constitue la « révolution agricole médiévale ».

Des limites géographiques

Le nourrissage du bétail en hiver permet la pratique des nouveaux types de culture dans des régions plus froides ou d'altitude plus élevée. La fertilité apportée par le fumier autorise la mise en valeur de terres sableuses peu fertiles. La charrue permet le labourage de sols lourds, jusque-là délaissés. L'aire d'extension des systèmes issus de la révolution agricole médiévale est donc plus vaste que celle de la révolution agricole antique.

Mais il existe des freins à la pratique de la culture attelée lourde inadaptée aux régions très froides du nord de l'Europe et de l'Asie centrale et aux hautes altitudes. Les rendements céréaliers y sont en effet trop faibles et les besoins en fourrage d'hiver énormes. Sous les climats tempérés chauds, le stockage de foin présente peu d'intérêt car il reste suffisamment de fourrage sur pied en hiver et, en été, la végétation des maquis et des garrigues offre des réserves. La transhumance permet de conduire les troupeaux dans des régions riches en pâturages. La charrue ne s'implante pas car, dans les sols légers majoritaires, l'araire suffit. Pour accroître les espaces labourables, les paysans aménagent des terrasses en élevant des murets de pierres retenant la terre. Pour suppléer au déficit d'eau en été, ils plantent arbres et arbustes adaptés à la sécheresse ; certains produisent des ressources alimentaires (olives, châtaignes), d'autres ont un feuillage servant de fourrage ou de litière. L'arrosage et l'irrigation permettent un développement de cultures de plein été qui complètent l'alimentation à base de céréales.

La culture attelée lourde reste donc limitée à l'Europe du Nord-Ouest en climat tempéré froid.

Des conséquences multiples

Les historiens s'accordent pour affirmer que la population européenne augmente beaucoup du XIe au début du XIVe siècle. La transformation des systèmes agraires est une des causes de cette progression : les gens, mieux nourris, résistent mieux aux maladies ; la famine recule, il n'y a pas de famine générale en Europe entre 1033 et 1315, même si la disette touche épisodiquement des régions isolées.

Pour nourrir une population en expansion, il faut conquérir de nouveaux espaces sur des zones jusqu'alors incultes (marais, landes, pentes de montagne) ou sur la forêt. Cette conquête, traduite par de grands défrichements et de grands travaux, est organisée par des puissants, ecclésiastiques ou laïques, qui prêtent de l'argent et peuvent ensuite percevoir des impôts. Le peuplement l'accompagnant jusqu'au milieu du XIIIe siècle prend diverses formes. La première est l'élargissement des villages qui existaient déjà avec « grignotage » de la forêt voisine par des champs. La seconde est la création de villages neufs, à l'initiative des seigneurs, sur des zones non exploitées jusque-là. Ainsi se multiplient villes et bourgs neufs, sauvetés* et autres bastides*. Un peuplement intercalaire se développe par l'établissement d'exploitations entre les villages existants. Ces implantations sont si importantes que la majorité des villages européens du XIXe siècle existaient déjà à la fin du XIIIe siècle. Mais la forêt victime des défrichements régresse et les seigneurs imposent des réglementations pour sa gestion, cherchant notamment à préserver leurs terrains de chasse.

L'artisanat rural se développe pour satisfaire le besoin d'outils et d'équipements. La demande en fer stimule la production sidérurgique facilitée par l'usage des moulins à eau foisonnant du Xe au XIVe siècle. Un essor commercial

* Dans le sud de la France, la sauveté, bourg fondé par un monastère, sert de refuge aux fugitifs et errants.

La bastide est une ville neuve bénéficiant de privilèges.

Moines bûcherons. Enluminure du XIIe siècle.
[Bibliothèque municipale de Dijon (Côte-d'Or)]

découle des activités agricoles, artisanales et industrielles. Les commerçants deviennent très nombreux, les foires se multiplient. Les marchands enrichis grâce au commerce maritime et terrestre se groupent en associations et mettent en commun des capitaux, partageant risques et bénéfices. On assiste à la naissance d'une véritable économie marchande.

Une grave crise

Au début du XIVe siècle, des signes de déclin se manifestent en Europe occidentale. La production baisse et la population diminue. Il est possible que le système agraire ait atteint ses limites. En effet, pour répondre à la demande croissante de nourriture entraînant des prix élevés, les paysans essaient d'augmenter leur production. Les défrichements s'amplifient notamment sur des terres marginales s'épuisant rapidement. Les cultures s'étendent souvent au détriment des pâturages et des prés de fauche, provoquant une diminution du cheptel, d'où une perte de fumier et, au final, une baisse de la fertilité et des rendements. Malnutrition et privations ont de graves effets sur la population dont la capacité de travail et la résistance aux maladies diminuent.

Entre 1340 et 1450, l'Europe occidentale connaît une série de calamités dont les effets se conjuguent. Disettes et famines, mais aussi épidémies, dont la peste noire frappant l'ensemble de l'Europe entre 1347 et 1351, causent un effondrement de la population. Celui-ci provoque un recul des terres cultivées et un retour à la friche et à la forêt ainsi qu'une régression économique. La pauvreté est générale, des révoltes éclatent. S'ajoutent à ce triste tableau les ravages causés par les guerres comme la guerre de Cent Ans (1337-1453). Dans le premier quart du XVe siècle, la population européenne retombe au même niveau qu'en l'an mille.

La peste à Tournai, 1349.
Enluminure extraite des Annales de Gilles de Muisit.
[Bibliothèque royale de Bruxelles, Belgique]

Reprise mais fragilité chronique

Dans la deuxième moitié du XVe siècle s'amorce la reprise qui coïncide avec le début des « Temps modernes ». Elle commence dans les vastes plaines limoneuses et les riches vallées alluviales où la population rescapée remet en culture les meilleures terres. Les paysans des régions marginales rejoignent les régions riches. Labours et prés de fauche progressent. Les régions les plus favorisées se repeuplent en quelques décennies.

Au début du XVIe siècle, population et demande en grain continuent d'augmenter et les prix des céréales atteignent un niveau suffisant justifiant la remise en valeur des terres peu fertiles. En un peu plus d'un siècle, l'Europe restaure ainsi son agriculture, reconstitue sa population et connaît une renaissance de l'artisanat, de l'industrie et du commerce.

Cueillette, transport de la vendange, vigneron dans le chai, détail d'une miniature extraite du Livre d'Heures d'Adélaïde de Savoie, duchesse de Bourgogne, XVe siècle.

[Musée des Arts et Traditions populaires, Paris]

Mais, à la fin du XVIe siècle, un surpeuplement apparaît ; les terres doivent être partagées et les exploitations deviennent trop petites pour que les familles puissent y vivre. Les défrichements sont à nouveau trop poussés ; productivité et rendements agricoles baissent. Disettes, famines et épidémies de peste réapparaissent, toutefois limitées géographiquement.

À cela s'ajoutent les aléas climatiques ponctuels et une série de conflits dévastateurs. Au XVIIe siècle, l'Europe connaît des temps difficiles mais sans effondrement de la production et de la population, même si des disettes subsistent jusqu'au XIXe siècle. La population augmente lentement pendant plus de deux siècles avec des inégalités suivant les régions. On explique cette croissance par une production en hausse grâce à la multiplication des assolements triennaux aux XVIIe et XVIIIe siècles et grâce à la circulation des denrées agricoles sur les réseaux de canaux. Mais cet accroissement de la productivité agricole est dû aussi à l'émergence de nouveaux systèmes agraires qui ont commencé à se répandre dès le XVIe siècle aux Pays-Bas et au XVIIe siècle en Angleterre.

Le couple charrue-herse

La charrue est un outil plus complexe que l'araire. Le coutre, grand couteau vertical en fer, placé à l'avant, coupe la terre verticalement, le soc triangulaire en fer la coupe horizontalement. Un versoir fixe, en bois ou en fer, retourne la bande de terre découpée dans le sillon ouvert lors du passage précédent. Le sol est ainsi ameubli en profondeur et retourné. Le laboureur maintient la ligne de labour et contrôle la profondeur en tenant solidement en main les deux mancherons. Dans les sols lourds ou pierreux, la charrue est munie d'un avant-train avec deux roues qui aident à la maîtriser ; sur des terres plus faciles à travailler, on utilise alors une simple roulette, un patin ou un sabot.

Tirée par des animaux, la herse est un lourd bâti de bois hérissé de dents de bois ou de fer. Cet outil complète le travail de la charrue. Il brise les mottes après le labour et détruit les mauvaises herbes restantes. Le hersage avant les semailles amenuise la terre et, après, il enfouit les graines, procurant ainsi de plus abondantes récoltes.

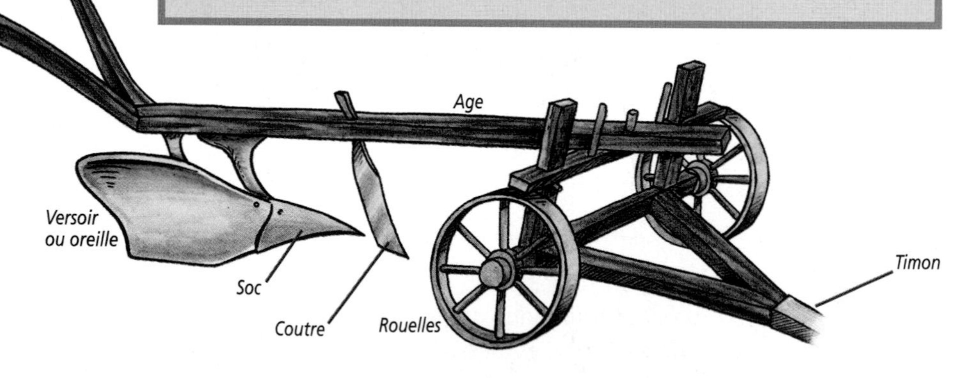

Charrue à avant-train et herse, outils complémentaires tous deux tirés par des animaux.

Enluminure représentant le mois de mars, extraite des *Très Riches Heures du duc de Berry*, 1456. Au premier plan, une scène de labour. Au-dessus, la taille des vignes.

L'AGRICULTURE DES INCAS ET SA DESTRUCTION

Au début du XVIe siècle, les Incas occupent un vaste empire, porteur d'une civilisation remarquable sur des territoires appartenant de nos jours à l'Équateur, au Pérou, à la Bolivie et au Chili. Ils pratiquent plusieurs types d'agriculture adaptés aux situations géographiques variées des secteurs exploités. Mais cette société et son agriculture sont détruites par la conquête espagnole. L'économie agricole qui suit marginalise la paysannerie indienne, la plongeant dans des difficultés qu'elle subit encore.

Des systèmes complémentaires

Des oasis côtières reçoivent l'eau de la montagne, ou cordillère, grâce à un système hydraulique élaboré. Les Incas y cultivent surtout maïs, haricot et coton à longues fibres dont les surplus sont exportés dans d'autres régions de l'Empire.

Jusqu'à 3 600 mètres d'altitude, les paysans exploitent les fonds de vallée et leurs versants. Des terrasses irriguées portent du maïs en partie exporté ; sur les terres non irriguées poussent oca, pomme de terre, lupin, quinoa, courge ; des lamas paissent sur les versants non aménagés et reçoivent des compléments fourragers.

Entre 3 600 et 4 200 mètres, on cultive surtout la pomme de terre qui, pour être conservée et exportée vers les autres régions, est transformée en *chuno* par exposition alternée au soleil et à la gelée nocturne. Les Incas élèvent des lamas présents également entre 4 200 et 5 200 mètres qui fournissent laine, peau et viande séchée.

L'agriculture sur abattis-brûlis des hautes forêts du versant amazonien des Andes exporte maïs de contre-saison, feuilles de coca et épices. Dans toutes les zones cultivées, les paysans incas renouvellent la fertilité du sol grâce à des rotations incluant des légumineuses fourragères ; certains utilisent le guano, engrais composé de squelettes et de déjections d'oiseaux marins minéralisés, récolté sur la côte du Pacifique et transporté à dos de lama.

Une organisation rationnelle

Les Incas ignorant la roue, l'attelage et l'utilisation du fer ont un développement technique correspondant à celui de la fin du néolithique. Ils travaillent la terre avec la *taclla*, bâton fouisseur amélioré, diverses houes et quelques autres outils manuels. Ils transportent les charges à dos d'homme et de lama.

Utilisés rationnellement, ces moyens rudimentaires permettent à l'agriculture et à la société inca de se développer dans le cadre d'une organisation étatique gérée par une administration savante formée à l'université de Cuzco. L'État répartit périodiquement les terres selon les besoins des communautés paysannes, gère l'irrigation et un calendrier agricole, organise les échanges entres régions sur un réseau structuré de routes pavées ; il impose des corvées aux individus valides pour les tâches agricoles productives et pour les grands travaux.

Récolte de la pomme de terre par les Indiens du Pérou à l'aide de la *taclla* et transport à dos d'homme (d'après un calendrier chrétien du début de la période coloniale espagnole).

La désintégration du système

En 1532, l'Espagnol Pizzaro détruit l'organisation militaire et politique inca. Les conquérants exploitent les mines d'or et d'argent de la colonie. Ils désorganisent les structures agraires en s'appropriant les terres : la production agricole s'effondre, la population affaiblie est décimée par les maladies.

Puis sont créées d'immenses propriétés exploitées par la main-d'œuvre locale asservie ; les colons espagnols orientent les productions vers l'exportation réduisant l'espace de subsistance des paysans locaux. Plusieurs siècles après ce désastre, la paysannerie de cette région du monde est toujours victime de la pauvreté de masse.

LES RÉVOLUTIONS AGRICOLES MODERNES

À partir du XVIe siècle, des paysans du nord de l'Europe pratiquent de nouveaux types agraires basés sur les cultures céréalières et fourragères sans jachère. Ces systèmes conquièrent progressivement l'Europe jusqu'au XIXe siècle, dans le cadre de la « première révolution agricole des Temps modernes ». À la même période, l'Europe exporte ses techniques agraires dans les colonies de peuplement des régions tempérées extraeuropéennes ; parallèlement, elle implante dans les régions tropicales de grandes exploitations spécialisées qui se substituent le plus souvent aux systèmes agraires préexistants.

Le XIXe siècle et le début du XXe sont marqués par la mécanisation progressive de l'agriculture des pays développés induite par la révolution industrielle. Le développement des transports motorisés contribue à transformer profondément l'agriculture et son économie, favorisant la mondialisation des marchés.

Au cours de la seconde moitié du XXe siècle, la motomécanisation, la chimisation, la spécialisation et le productivisme caractérisent la « seconde révolution agricole des Temps modernes ». Celle-ci bouleverse et parfois déstabilise le monde paysan des pays développés ; elle soulève de nombreux problèmes éthiques et environnementaux. Parallèlement, le fossé se creuse entre les agricultures du monde : celles des pays en développement connaissent des difficultés croissantes. Il en résulte une crise agraire et économique dans ces pays, crise qui contribue à aggraver la pauvreté, le chômage et la malnutrition planétaires.

Pour faire face à cette situation, des hypothèses sont avancées, envisageant notamment une restauration des agricultures vivrières afin de favoriser un développement équilibré de tous les pays.

PREMIÈRE RÉVOLUTION AGRICOLE DES TEMPS MODERNES

Au XVIe siècle, dans les Flandres et aux Pays-Bas, des paysans commencent à réduire la place de la jachère dans la rotation agraire ; la grande jachère n'est plus pratiquée que tous les quatre, cinq ou six ans et finit par être supprimée. À la place, ils cultivent des pois et de la vesce, plante herbacée fourragère. Puis les paysans ajoutent le trèfle, le navet fourrager et diverses cultures industrielles. La culture du maïs, originaire d'Amérique, s'étend au sud de l'Europe. Au XVIIe siècle, les cultures sans jachère atteignent l'Angleterre et la vallée du Rhin. Il faut attendre les XVIIIe et XIXe siècles pour qu'elles s'étendent à toute l'Europe. Malgré une diffusion très lente, ce nouveau type de rotation, ou *système agraire sans jachère*, est une étape considérée par les spécialistes comme la « première révolution agricole des Temps modernes ».

Cultures sans jachère

Pour satisfaire la demande d'une population en hausse, les paysans pratiquant la jachère essaient d'augmenter directement la production de grain. Certains étendent les terres céréalières au détriment des herbages, mais la réduction du bétail et donc du fumier conduit à une baisse des rendements en grain. D'autres, en supprimant la jachère, obtiennent une récolte céréalière supplémentaire, mais affaiblissent la fertilité du sol en se privant des déjections animales et favorisent la prolifération des mauvaises herbes par réduction des labours et des hersages.

Le remplacement des jachères par des plantes fourragères et des prairies artificielles favorise l'élevage, la production de fumier et augmente ainsi les rendements en grain. Une nouvelle forme de rotation triennale peut alors être envisagée : une prairie artificielle remplace la grande jachère de quinze mois ; ensuite, sur neuf mois, on cultive une céréale d'hiver ; puis, sur huit mois, la petite jachère laisse place à une culture fourragère de fin d'été et d'automne et enfin, sur quatre mois, les paysans cultivent une céréale de printemps. Ce type de rotation fournit presque autant de fourrage que l'ensemble des pâturages et des prés de fauche. Ainsi le cheptel peut être doublé, les paysans disposent du double de fumier et finalement les rendements en grain suivent la même progression. Effet complémentaire, une augmentation des produits animaux (lait, viande, laine, peaux...).

Rotation triennale avec jachère.

Année 1	Année 2	Année 3	
15 mois (août – octobre)	9 mois (novembre – juillet)	8 mois (août – mars)	4 mois (avril – juillet)
grande jachère	céréale d'hiver	petite jachère	céréale de printemps
prairie artificielle	céréale d'hiver	culture fourragère dérobée d'automne	céréale de printemps

Nouvelle rotation triennale sans jachère.

Une efficacité accrue

Dans les systèmes agraires sans jachère, les prairies artificielles et les plantes sarclées fourragères poussent rapidement sur une terre bien préparée. Elles absorbent beaucoup de minéraux fertilisants qui se retrouvent dans le fumier produit à l'étable par le bétail. Ce fumier enfoui par les labours se décompose lentement et fournit une alimentation minérale fractionnée, absorbée par les plantes au cours de leur croissance.

Les végétaux produits par ces nouvelles cultures peuvent aussi être enfouis sur place après séchage et broyage, et deviennent un engrais vert aussi efficace que le fumier. La quantité accrue de matière organique apportée par le fumier ou l'engrais vert augmente, à la longue, la teneur du sol en humus, améliorant sa capacité de stockage de l'eau. Les légumineuses fourragères, souvent présentes dans les nouvelles rotations, fixent beaucoup d'azote de l'air et absorbent de nombreux minéraux fertilisants ; elles se développent vigoureusement, accroissant ainsi les disponibilités minérales exportées vers l'écosystème cultivé. Le sol stocke davantage de minéraux fertilisants réduisant les effets du drainage et le lessivage ; les micro-organismes foisonnent, la fixation de l'azote de l'air et la solubilisation de la roche-mère sont favorisées.

« *Les Travaux de la terre* », planche sur l'agriculture de l'*Encyclopédie* de Diderot et d'Alembert, 1762.

De nombreuses variantes

En fonction de la nature des sols, les paysans créent des prairies artificielles avec des légumineuses (sainfoin, lotier, vesce, trèfle violet, luzerne) ou avec des graminées fourragères comme le ray-grass, ou encore avec un mélange légumineuses-graminées. Ils cultivent navet, colza ou chou fourrager en culture dite dérobée, c'est-à-dire cultivée sur une très courte période. Sur les sols très riches, le surcroît de fertilité apporté par la culture des légumineuses permet de réserver la moitié des anciennes jachères pour les plantes sarclées consommables par l'homme ou pour des plantes industrielles. C'est ainsi que l'on cultive désormais chou et navet alimentaires, pomme de terre, lin, chanvre, colza ou betterave sucrière.

La combinaison des rotations se diversifie. Il existe, outre les rotations triennales, des rotations sur quatre, six, voire neuf ou douze ans. Dans l'Europe méridionale, l'ancienne rotation biennale est souvent remplacée par un système biennal sans jachère. Dans certains secteurs, la quantité de fourrage supplémentaire obtenue permet la réduction des herbages naturels au profit des terres labourables : c'est le cas dans les plaines et sur les plateaux limoneux ou couverts de lœss où pratiquement tout l'ancien *saltus* devient cultivable du fait que le bétail est majoritairement nourri à l'étable. Certaines zones convertissent leur *saltus* en prairies artificielles temporaires, devenant ainsi des régions d'élevage prospères : c'est le cas de la façade ouest de l'Europe entre Bretagne et Prusse orientale.

Une évolution sous conditions

Les chercheurs estiment qu'en Europe le principe des rotations sans jachère était connu plusieurs siècles avant leur développement. Alors, pourquoi ne se sont-elles pas généralisées plus tôt ? Les freins ne sont pas seulement d'ordre technique. Dans les systèmes à jachère existe le droit de vaine pâture selon lequel chacun peut faire paître ses troupeaux sur l'ensemble des jachères voisines avec obligation de laisser ses propres jachères aux troupeaux d'autrui. Ce droit d'usage « commun » est une limitation de l'usage « privé » des terres céréalières qui retournent au domaine public après la récolte. Il est possible, pour les plus riches, de mettre leurs terres en *défens* contre cette pratique ; mais, pour faire respecter leur décision, ils doivent souvent enclore les terres. En effet, la suppression des communs rencontre l'hostilité des petits exploitants mal pourvus en bétail, celle de gros éleveurs ayant peu ou pas de terres, donc tributaires des communs, celle enfin des petits paysans sans terres propriétaires d'un petit troupeau. Cet attachement aux communs génère la difficulté de supprimer la vaine pâture, donc les jachères, et par voie de conséquence freine le décollage du nouveau système agraire.

Autre obstacle d'importance, corollaire du précédent, la possession privée du sol peu répandue à la fin du Moyen Âge. Cette entrave à la libre utilisation des terres empêche l'exploitant de tirer bénéfice des innovations agraires. Jusqu'au XVIIIe siècle, un lent mouvement d'accession à la propriété privée des terres favorise cependant peu à peu l'expansion des systèmes sans jachère.

Un troisième frein est d'ordre économique. Si les paysans, après avoir amélioré leur propre alimentation, ne peuvent vendre le surplus des récoltes, le nouveau système stagne. Aussi, c'est dans des régions précocement industrialisées que ces innovations agricoles sont appliquées, comme au XVIe siècle en Normandie et dans les comtés anglais où l'industrie drapière prospère : les seigneurs propriétaires et les riches laboureurs, grâce aux nouvelles cultures et à l'élevage, profitent de la demande en laine et de la nécessité de nourrir la population ouvrière naissante. Les changements se poursuivent au XVIIe siècle dans les centres drapiers et au XVIIIe siècle dans les centres miniers et sidérurgiques anglais où débute la première révolution industrielle. Puis c'est le glissement vers la France, l'Allemagne, les pays scandinaves, avant l'extension à toutes les régions industrialisées de l'Europe du Nord-Ouest.

Portrait d'un *gentleman farmer*, Thomas William Coke, inspectant ses terres et son cheptel d'ovins, par Thomas Weaver (1774-1843).

[Collection du Comte de Leicester, Holkham Hall, Norfolk, Grande-Bretagne]

Les acteurs de cette révolution

Les petits exploitants possédant peu de terre, peu de matériel, un modeste cheptel et trop pauvres pour investir, ne peuvent s'adapter aux nouvelles pratiques agraires. Par contre, les paysans moyens travaillant en famille en sont des acteurs efficaces dans la plupart des pays de l'Europe du Nord-Ouest : Pays-Bas, Allemagne occidentale, Autriche, Scandinavie, France, Italie et Espagne du nord. Par exemple, en France, après le Moyen Âge, l'affaiblissement progressif du pouvoir seigneurial procure un statut relativement favorable aux paysans ; après 1789, les assemblées révolutionnaires encouragent la nouvelle agriculture en proclamant notamment le droit d'enclore. Cette situation fait reculer la grande propriété seigneuriale laïque et ecclésiastique au profit de la moyenne et petite propriété paysanne qui désormais prédomine.

Une cour de ferme, par Nicolas-Bernard Lepicie, XVIIIe siècle.
Bovins, chevaux, volailles, pigeons, personnel nombreux témoignent de l'aisance de riches fermiers.
[Musée du Louvre, Paris]

Mais une partie des patrons agricoles européens s'engage aussi sur la voie de la révolution agricole. C'est le cas en Angleterre où les seigneurs fonciers ont entrepris, dès le XVIe siècle, un large mouvement d'*enclosure* et de regroupement des terres avec, pour conséquence, la disparition d'une majorité de la petite paysannerie. En Prusse, les *Junker*, grands propriétaires et entrepreneurs, créent de véritables groupes agro-industriels produisant du sucre de betterave, de l'alcool, etc. Mais dans les régions éloignées des grands foyers d'industrialisation, en Europe méridionale et orientale, de grands domaines sous-équipés, employant une main-d'œuvre peu ou pas payée, en restent à des pratiques avec jachère jusqu'à la moitié du XXe siècle.

L'arrivée du maïs en Europe

Curieusement, le maïs pénètre en Europe cinquante ans après le premier voyage de Christophe Colomb (soit vers 1540), non par l'ouest et les ports ouverts sur l'Amérique, mais par... l'est du bassin méditerranéen ! Arrivé peut-être d'abord en Asie grâce à des Mélanésiens, il est alors désigné comme « blé turc » ou « blé d'Inde ».

Le maïs est une céréale qui, tout en fournissant une récolte de grain supplémentaire, produit du fourrage grâce à ses feuilles et aux panicules mâles ; il présente aussi l'avantage d'être une plante sarclée nettoyante.

En cent ans, sa culture s'étend en Europe centrale et du Sud dans les vallées du Pô, de l'Èbre, de la Garonne. Dans le sud-ouest de la France, il porte le nom occitan de *milhoc*. Dans le Béarn, les paysans le cultivent d'abord pour les animaux, les plus pauvres le consomment sous forme de galettes. Au XVIIIe siècle, sa culture progresse, on le retrouve en Bourgogne et en Bresse où les paysans mangent des « gaudes » grillées à domicile. Ainsi consommé, le maïs permet au paysan de ne pas utiliser le four banal, donc de ne pas payer de redevance. Par ailleurs, il peut vendre le blé qu'il économise, ce qui constitue pour lui une source de profit financier.

De très profondes mutations

Grâce à la production fourragère et aux rendements céréaliers en hausse, la biomasse de l'écosystème cultivé double. Elle est intégralement utile : une partie est consommée par le bétail et recyclée par le fumier ; l'autre, en forte augmentation, est consommée par l'homme. En France, au XIXe siècle, la production céréalière passe de 80 à 170 millions de quintaux, la quantité de lait double et celle de viande triple. Les chercheurs considèrent qu'en conséquence la consommation double et que la ration moyenne passe de 2 000 à 3 000 calories par personne et par jour. L'alimentation s'améliore durablement, disettes et famines disparaissent. La population augmente : en Europe occidentale et centrale, entre 1750 et 1900, elle passe d'environ 110 à 300 millions.

Le nombre d'actifs agricoles n'augmente pas mais, pour la première fois dans l'histoire, l'agriculture est capable de nourrir une population non agricole désormais plus nombreuse que la population agricole elle-même. La révolution agricole conditionne donc l'essor de la révolution industrielle et de l'urbanisation et, inversement, elle ne pourrait se développer sans expansion industrielle et urbaine.

« *Le Chaudron de pommes de terre* », secours offert aux pauvres de Séville. Tableau de Bartolomé Esteban Murillo, 1645.

[Real Academia de San Fernando, Madrid, Espagne]

« *Nouvelle agriculture* » *et théoriciens*

L'agriculture sans jachère démarre uniquement à l'initiative des paysans. Il faut attendre le XVIIIe siècle pour que des agronomes anglais et français commencent à formuler les principes de la « nouvelle agriculture » et à la promouvoir comme le fait Duhamel de Monceau qui écrit un *Traité de la culture des terres* entre 1750 et 1760.

Certains économistes français, les physiocrates, définissent une société fondée sur la connaissance et le respect des « lois naturelles ». Ils réclament le droit à la propriété avec libre disposition de son bien et droit d'acheter et de vendre dans le cadre d'un marché libre.

Les physiocrates sont partisans des nouvelles méthodes agraires en y ajoutant une analyse économique et en proposant une politique pour la développer. Ils n'appliquent leurs principes qu'à l'agriculture qui, selon eux, est la seule activité produisant de la richesse, l'industrie et le commerce n'ayant pour rôle que de transformer et de distribuer les produits de cette agriculture. Ils pensent que le développement des activités non agricoles n'est possible que si les paysans produisent des surplus après satisfaction de leurs propres besoins. Les propriétaires étant les principaux bénéficiaires du système, ils seraient associés à l'État par l'impôt. Les physiocrates sont des défenseurs de la grande propriété et du salariat agricole, méprisant la propriété familiale.

Leurs conceptions suivent la pratique sociale, mais elles contribuent à en diffuser de nouvelles et inspirent des lois qui facilitent le développement de la révolution agricole.

PREMIÈRE MÉCANISATION AGRICOLE ET TRANSPORTS

Les paysans qui adoptent les cultures sans jachère travaillent avec un outillage hérité du Moyen Âge, conçu pour la culture attelée lourde. Au fur et à mesure du développement des prairies artificielles, des plantes fourragères et sarclées, des plantes industrielles et de l'élevage, le calendrier des activités se surcharge, surtout lors des périodes de pointe.

À partir de la fin du XVIIIe siècle, la révolution industrielle permet la fabrication en série d'outils plus adaptés aux nouvelles contraintes. Puis le développement des transports motorisés influence profondément l'agriculture et, au-delà, l'économie internationale.

Vers du matériel industriel

Dans un premier temps, les charrons et forgerons* de village perfectionnent l'outillage ancien, notamment par le ferrage renforcé. Puis ils fabriquent divers outils plus adaptés aux nouveaux travaux (charrues plus puissantes, bineuses et butteuses tractées, etc.).

Mais, dans les moyennes et grandes exploitations, pour les gros travaux comme les semis, les moissons ou les battages, le temps manque ; aussi, à partir de la fin du XVIIIe siècle, agriculteurs, artisans, agronomes et industriels s'engagent-ils dans un vaste mouvement de recherche pour inventer de nouveaux outils plus performants. C'est ainsi que l'industrie conçoit et met au point des outils inédits, adoptés par les paysans seulement s'ils permettent des économies de main-d'œuvre ou des gains de production suffisants pour justifier l'investissement.

* Le charron fabrique et répare chariots, charrettes et voitures à cheval.

Le forgeron façonne ou répare des pièces métalliques.

De la préparation du sol au semis

Dès le début du XIXe siècle, sur les terres nouvellement mises en culture aux États-Unis d'Amérique, la charrue entièrement métallique fabriquée industriellement est très largement utilisée. En France, la charrue Dombasle, mi-bois mi-fer, avec réglages précis, connaît un certain succès. L'outil innovant qui correspond le mieux au système sans jachère est vraisemblablement le brabant double, réversible. Grâce à ses deux charrues, à son avant-train et aux divers dispositifs de réglage, cet outil permet un labourage rapide et de qualité, réalisé par un seul homme alors qu'il en fallait généralement deux avec une charrue classique. La portée de cet outil est considérable dans les parties de l'Europe ayant délaissé la jachère. Les herses sont désormais métalliques, parfois articulées et à profondeur réglable. On utilise divers types de rouleaux en métal.

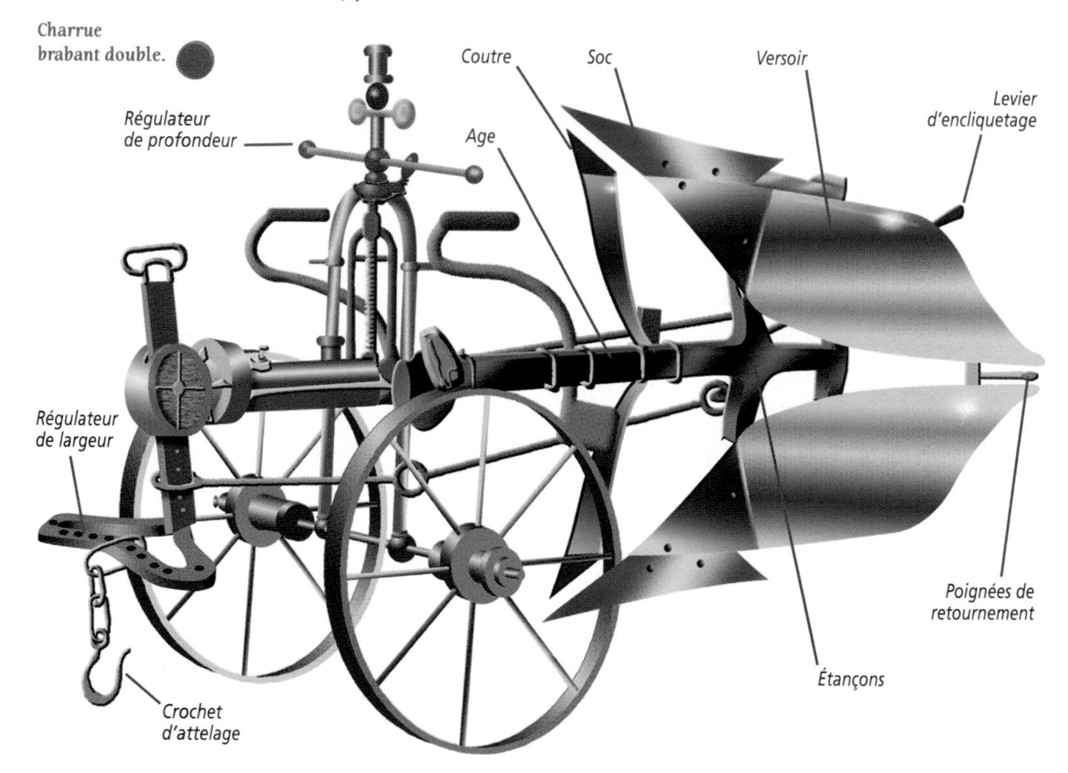

Charrue brabant double.

On sème de plus en plus avec des semoirs mécaniques. Pour la culture des plantes sarclées nécessitant de nombreuses façons, houes et binettes à main sont remplacées par des bineuses mécaniques tirées par un ou deux animaux. La butteuse tractée facilite le fastidieux remontage de la terre à la base des pieds de plantes sarclées comme la pomme de terre.

De la récolte à son traitement

Après de très nombreux tâtonnements, on met au point la faucheuse attelée à barre de coupe latérale. Conduite par une seule personne, elle remplace la fauche et la moisson manuelles à la faux ou à la faucille, en travaillant dix fois plus vite et en économisant beaucoup de main-d'œuvre. Pour transformer l'herbe fauchée en foin, tâche qui constitue une pointe du travail estival, les paysans utilisent désormais des faneuses pour remuer l'herbe, des râteaux andaineurs pour l'aligner ou les plus complexes râteaux faneurs*.

* Râteau faneur : selon son réglage, cette machine peut remuer l'herbe ou la ranger en andains.

Pour moissonner plus rapidement, diverses machines sont conçues : servie par deux hommes, la moissonneuse-javeleuse coupe les céréales et les range en petits faisceaux ou javelles ; plus perfectionnée, la moissonneuse-lieuse coupe les céréales et les conditionne directement en gerbes.

À la fin du XIXe siècle, les batteuses à manivelle retirent mécaniquement le grain des épis, travail fastidieux réalisé jusqu'alors par battage au fléau ou piétinage sur le sol par des animaux. Puis on construit de grosses batteuses activées par des animaux faisant tourner un manège ou par des machines à vapeur ; des entrepreneurs propriétaires de ces engins coûteux louent leurs services en se déplaçant de ferme en ferme. Pour pouvoir utiliser et consommer les produits des récoltes, artisans et industriels conçoivent toute une gamme de petites machines : coupe-racines, hache-paille, trieur et broyeur à grains, baratte, etc.

Concours de moissonneuses mécaniques. Gravure du journal *L'Illustration*, 1859.

Diffusion des machines agricoles

Au milieu du XIXe siècle, les nouvelles machines sont très largement adoptées dans les très grandes fermes des pays neufs : États-Unis, Canada, Australie, Argentine. Puis la mécanisation s'étend dans les grandes exploitations européennes, notamment en Angleterre et en Prusse. Les paysans possédant entre 10 et 15 hectares se mécanisent en réduisant leur main-d'œuvre saisonnière. Le nombre de salariés agricoles régresse.

Machine à battre les céréales mue par une locomobile à vapeur par l'intermédiaire d'une longue courroie. Conception de M. Ganneron, ingénieur à Paris. Gravure du journal *Le Monde illustré*, 1859.

Quant aux petits exploitants, ils ne peuvent rentabiliser les nouveaux outils qu'en agrandissant leur exploitation ou en réduisant la main-d'œuvre familiale. Cette alternative leur pose des problèmes. Les terres à défricher étant devenues rares, les extensions ne sont possibles que lors de la disparition d'autres exploitations. La main-d'œuvre familiale inemployée est obligée de rejoindre la ville en changeant de métier. Aussi, dans les régions européennes ayant peu de terres à mettre en valeur, la mécanisation est lente et s'étale tout au long de la première moitié du XXe siècle. Ainsi, en France, pays représentatif de l'Europe occidentale, il n'y a qu'une faucheuse pour cent exploitations en 1900 et, en 1955, seule la moitié des exploitations en possèdent ; à la même date, les moissonneuses-lieuses sont trois fois moins nombreuses que les faucheuses, car leur prix les rend peu accessibles aux petits agriculteurs. Ce n'est qu'en 1955 que les brabants atteignent leur nombre maximum de 1 450 000 unités. Après 1945, la motorisation débute dans les campagnes, commençant à détrôner des machines à traction animale qui, en un siècle, sont loin d'avoir pénétré dans toutes les exploitations.

En septembre 1888, lors du battage du blé, la batteuse et sa locomobile à vapeur sont servies par un personnel nombreux. Le transport à traction animale est encore bien vivant dans les campagnes françaises.

Agriculture et transports

Trop lourdes pour être automotrices, les machines à vapeur équipent peu de machines agricoles. Mais, indirectement, en révolutionnant les transports, l'utilisation de la machine à vapeur a de très profondes conséquences sur l'agriculture.

Depuis longtemps, les agriculteurs accroissent la fertilité des terres cultivées par apport de matières minérales ou organiques issues du milieu proche : cendres, algues marines, terre de bruyère, guano, fumier... Ils améliorent la texture et la structure du sol par des amendements en sable, chaux, marnes, etc. Mais, du fait de la difficulté des transports, bien des régions ne peuvent bénéficier du bienfait de ces matières si leurs territoires n'en possèdent pas. La création d'un important réseau de chemin de fer avec trains à vapeur permet désormais d'approvisionner la majorité des régions européennes en engrais et amendements : superphosphates et potasse fournis par l'industrie chimique, nitrates du Chili et guano du Pérou ayant traversé l'Atlantique sur des navires à vapeur.

La révolution agricole se développe d'abord dans les régions proches des secteurs industriels utilisant les matières premières agricoles et dont la population consomme les surplus ; elle s'étend aussi près des centres urbains consommateurs. Ainsi, certaines régions et pays se spécialisent en développant les productions commercialement avantageuses ; les autres continuent la polyculture pour l'approvisionnement local. À partir de 1850, le rail désenclave progressivement les régions isolées qui obtiennent ainsi davantage de débouchés et sont mieux approvisionnées ; elles entrent alors dans la révolution agricole en accroissant leurs productions, voire en se spécialisant.

Au XIXe siècle, des émigrés européens colonisent de vastes territoires dans les régions tempérées des Amériques, d'Afrique du Nord, d'Afrique du Sud, d'Australie et de Nouvelle-Zélande où ils établissent des exploitations agricoles. Dès le milieu du siècle, ils sont très équipés et produisent beaucoup à moindre coût. Les marchés des pays neufs étant peu développés, ces colons exportent d'importants surplus (céréales, huiles, laine, viande, etc.). Ils sont aidés par le développement du rail sur les nouveaux territoires et celui des bateaux transocéaniques à vapeur dont les frigorifiques acheminent en masse ces produits de base en Europe.

Affiche publicitaire de E. Nerme pour les chemins de fer de l'Ouest, fin du XIXe siècle : l'exportation des produits agricoles français vers les pays voisins est encouragée par ce moyen de transport plus rapide et l'utilisation du bateau à vapeur.

Une grave crise aux multiples conséquences

Les excédents agricoles des pays neufs arrivent massivement à bas prix sur les marchés européens solvables. Ainsi, dans la seconde moitié du XIXe siècle, les importations de laines australiennes, d'Afrique du Sud et d'Amérique du Sud triplent, le prix de la laine s'effondre ; les importations de blés des États-Unis sont multipliées par quarante, en faisant baisser de moitié le prix ; les viandes congelées originaires d'Amérique du Nord, d'Australie et d'Argentine commencent à concurrencer la viande européenne. La baisse des prix à la production provoquée par ces importations entraîne une baisse des revenus agricoles. S'ensuivent un arrêt des investissements et la ruine des exploitations les plus fragiles avec, pour conséquence, une baisse de la production agricole européenne et une hausse de l'exode rural. Les rouages de l'économie agricole et alimentaire internationale sont en profonde mutation et des pans entiers de l'agriculture européenne plongent dans la crise.

Les pays européens réagissent différemment. Le Royaume-Uni, initialement fer de lance de la révolution agricole, choisit d'importer massivement des produits agricoles à bas prix : il privilégie l'activité et l'emploi industriel au détriment de l'agriculture. Sa production baisse considérablement, les labours reculent au profit des pâturages naturels et des landes, les revenus agricoles diminuent de 30 %, d'où un exode rural massif et une réduction des actifs agricoles. Ce pays s'installe durablement dans la dépendance alimentaire. Au Danemark, la crise est gérée positivement par la modification des finalités de l'agriculture : on importe massivement des céréales pour développer l'élevage et ainsi exporter quantité de produits animaux (beurre, œufs, viande de porc...) dont les prix baissent peu. De même les Pays-Bas développent les cultures légumières et florales.

L'Allemagne et la France, à la fin du XIXe siècle, choisissent le protectionnisme agricole partiel qui contingente les importations des denrées agricoles de base (céréales, viandes et produits laitiers). Cette politique, si elle n'empêche pas le tassement des productions agricoles industrielles, limite la baisse des prix et freine l'exode rural que ne pourraient absorber l'industrie ou les colonies.

Les régions peu développées du sud et de l'est de l'Europe n'ayant toujours pas épousé la première révolution agricole subissent de plein fouet baisse des prix et réduction des débouchés. La diminution des salaires, le durcissement des conditions de travail provoquent grèves, révoltes et répressions : la crise devient sociale et politique.

DEUXIÈME RÉVOLUTION AGRICOLE DES TEMPS MODERNES

Au début du XXe siècle, en Europe et dans les pays neufs tempérés, une partie seulement des exploitations a adopté la mécanisation de la culture attelée. De nombreux paysans travaillent encore avec des matériels de culture attelée lourde fabriqués artisanalement et l'araire est encore en service en milieu méditerranéen. Ainsi cohabitent plusieurs niveaux d'équipements auxquels vont se greffer des engins mus par des moteurs à explosion. L'agriculture entre dans l'âge de la motorisation et, en quelques décennies, se met en place la « deuxième révolution agricole des Temps modernes ».

Un des premiers tracteurs, cette « automobile agricole » tire ici une charrue, en 1902. D'une puissance de 8 chevaux, elle a été inventée par l'Anglais Dan Albone.

Implantation du moteur à explosion

Avant la Seconde Guerre mondiale, quelques rares tracteurs à moteur à explosion sont utilisés dans les régions de grande culture d'Europe et des pays neufs. Ils sont généralement attelés à des matériels initialement prévus pour la traction animale. On conçoit ensuite des outils spécialement adaptés à la traction mécanique. Après 1945 et au début des années 1950, cette première motomécanisation se répand assez rapidement. Puis apparaissent des tracteurs plus puissants capables de porter des outils et d'en actionner d'autres par l'intermédiaire d'une prise de force. Ils se répandent à la fin des années 1950 et au cours des années 1960, permettant d'envisager une superficie d'une cinquantaine d'hectares par travailleur en grande culture, contre une dizaine d'hectares en traction animale mécanisée. Dans les années 1970, des tracteurs de 50 à 70 chevaux sont capables de porter des charrues trisocs et de tirer des outils de 5 à 6 mètres de largeur. Les agriculteurs utilisent des machines combinées automotrices comme les moissonneuses-batteuses dont les largeurs de travail sont supérieures à celles du matériel tracté. Dans la décennie suivante, la génération des tracteurs de 80 à 120 chevaux porte des charrues quadrisocs. La motomécanisation se généralise en Europe et les 100 hectares par travailleur sont atteints. Depuis lors existent des tracteurs de plus de 120 chevaux à quatre roues motrices ; leur puissance leur permet de mettre en œuvre plusieurs matériels associés qui, en un seul passage, réalisent par exemple le labourage et les semis. En grande culture, de tels outillages permettent de cultiver 200 hectares par travailleur. La motomécanisation touche par étapes tous les types de productions agricoles.

Utilisation massive des engrais

C'est après la Seconde Guerre mondiale que les agriculteurs utilisent massivement les engrais. La consommation des trois principaux engrais fertilisants (acide phosphorique, azote et potasse) dans les pays industrialisés européens est trente fois plus élevée au début des années 1990 qu'en 1900. Les quantités croissantes d'engrais proposées aux agriculteurs proviennent de l'accroissement des sources d'extraction et de l'essor des industries de transformation ou de synthèse de ces engrais. L'amélioration des travaux de préparation et d'entretien des cultures et celle des traitements, ajoutées à l'accroissement de l'usage des engrais ont pour conséquence l'augmentation considérable du rendement à l'hectare des plantes. C'est le cas pour les céréales où l'on passe d'environ 10 quintaux à l'hectare en 1900, obtenus avec du fumier, au triple en 1950 avec plus de 100 kg d'azote associé à de la potasse et de l'acide phosphorique et à pratiquement 100 quintaux à l'hectare avec des doses de plus de 200 kg d'engrais par hectare.

Sélection des plantes

La recherche agronomique étudie les plantes pour trouver des variétés de plus en plus productives, mais aussi capables d'absorber de façon optimale les grandes quantités de minéraux apportés par les engrais. Elle a ainsi sélectionné des variétés à potentiel croissant qui ont permis le développement par étapes de l'usage des engrais. En effet, les céréales cultivées au début du XXe siècle n'auraient pas supporté les doses d'engrais utilisées de nos jours. Question productivité, la recherche a, par exemple, mis au point des variétés de blé à paille courte et à forte production de grain. Les scientifiques retiennent également des variétés résistantes aux maladies et aux insectes et le plus économes possible en traitements.

Malgré l'obtention de rendements très élevés, les variétés qu'ils proposent ne sont adoptées par les agriculteurs que si elles sont rentables économiquement : pour une variété donnée, il faut tenir compte du prix de vente du produit et des frais combinés comprenant semence, engrais, produits de traitement. Par exemple, si une variété est très productive mais demande trop d'investissements en engrais, les agriculteurs privilégieront une variété légèrement moins productive mais

Agriculteur auvergnat chargeant son semoir avec du maïs sélectionné par une firme spécialisée.

plus économe en engrais. La recherche vise aussi à trouver des variétés adaptées à la mécanisation, comme des blés à maturité homogène dont d'immenses champs peuvent être moissonnés d'une seule traite. Pour d'autres plantes, la sélection est établie en fonction des exigences imposées par l'industrie, les circuits de distribution, voire les souhaits des consommateurs, ce qui est le cas pour les fruits et légumes avec des critères de forme, d'aspect et de goût.

Sélection des animaux

Grâce à l'usage accru des engrais et à la sélection des plantes, les quantités de céréales, de légumineuses et d'oléagineux* ont considérablement augmenté ; aussi, une grande part de ces végétaux peut être consommée par les animaux. À partir de cette matière première, une production industrielle d'aliments à haute valeur nutritive se met en place à l'initiative d'entreprises nationales et internationales. Elles fabriquent des granulés, des farines pour les volailles, les porcs, les ovins et les caprins. Ainsi, en France, la consommation de tels aliments décuple entre 1954 et 1973. Les effectifs des animaux explosent ; les conditions d'élevage sont bouleversées et sont aussi minutieusement organisées que la production industrielle, notamment dans les élevages en batterie** de poulets, veaux ou porcs.

* Oléagineux : les graines des oléagineux fournissent de l'huile.

** Élevage en batterie : un grand nombre d'animaux est concentré dans un espace réduit.

Élevage de poulets en batterie. Ces volailles sont sélectionnées pour croître le plus rapidement possible.

Parallèlement, les chercheurs doivent sélectionner des races capables de consommer efficacement des rations alimentaires de plus en plus nourrissantes et de supporter les nouvelles conditions d'élevage. En 1900, une vache laitière consommait environ 15 kg de foin par jour, produisant annuellement 2 000 litres de lait, alors qu'une laitière actuelle peut manger 5 kg de foin et 15 kg d'aliments industriels pour une production de 10 000 litres de lait par an. Cette mutation de l'élevage s'accompagne dans la population d'une consommation de viande fortement accrue.

Salle de traite d'un élevage de vaches laitières à Rimons (Gironde).

Protection sanitaire

Les frais de production des végétaux sont multiples : achat des semences, des engrais, salaires et charges sociales, amortissement du matériel et des installations, assurances et charges fiscales. Les agriculteurs ne peuvent se permettre des pertes de récoltes qui mettraient à mal la rentabilité de leurs cultures. Aussi utilisent-ils massivement des produits de traitement, herbicides, fongicides*, insecticides et pesticides* fabriqués par les industries situées en amont de la production agricole.

* Un fongicide détruit les champignons.
Un pesticide lutte contre les parasites animaux et végétaux.

Il en est de même pour la protection des espèces animales menacées par des maladies souvent favorisées par l'extrême concentration des animaux dans les élevages. Les éleveurs vaccinent préventivement leurs animaux et utilisent des médicaments pour lutter contre les maladies particulières à chaque espèce. Malgré les coûts élevés de ces précautions ou de ces obligations sanitaires, les agriculteurs contemporains qui veulent poursuivre avec bénéfice leurs cultures et leurs élevages intensifs sont dépendants de la phytopharmacie et de la zoopharmacie.

Spécialisation régionale

Après 1945, le développement considérable des transports routiers permet de désenclaver les exploitations agricoles par la venue directe du camion à la ferme. Les paysans reçoivent désormais engrais, amendements et tout autre bien de production fabriqué par l'industrie. Ils sont ainsi libérés d'une grande partie de la polyproduction précédemment imposée par l'autoconsommation et l'autofourniture. Il leur est possible de consacrer leur énergie à la production d'un plus petit nombre de produits, en fonction de conditions écologiques locales, du marché des produits agricoles et aussi de leur savoir-faire : l'agriculture européenne se dirige vers une spécialisation par régions.

Les grandes cultures motorisées s'imposent dans les régions les moins accidentées, au sol fertile et facile à travailler. Les rotations y combinent céréales et autres grandes cultures (tournesol, colza, pomme de terre, betterave à sucre) ou sont entièrement céréalières (avec blé-maïs ou même maïs sur maïs). Les secteurs au sol lourd ou caillouteux abandonnent les grandes cultures pour se spécialiser en herbages et élevages. C'est ainsi que naissent les grands bassins laitiers sur la façade océanique de l'Europe du Nord-Ouest et que plusieurs régions de moyenne montagne ou des secteurs aux terres argileuses se consacrent aux bovins à viande. Les régions montagnardes développent leurs races locales et se spécialisent dans la production laitière et fromagère.

Les régions favorables à la vigne se lancent, le plus souvent, dans la monoculture pour l'élaboration de vins de qualité ou pour la production en grande quantité de vins de consommation courante.

Légumes, fruits et fleurs prospèrent dans les régions à sol léger et au climat clément et sur les côtes à climat doux, alors que les régions de grande culture accueillent des légumes de plein champ destinés à la conserverie. Des unités industrielles de tranformation des produits agricoles s'installent dans ou à proximité des régions spécialisées.

Vaste étendue de vignobles dans le comté de Napa, en Californie (États-Unis). Cette région produit 9/10 du raisin cultivé aux États-Unis.

Tomates toute l'année

Au milieu des années 1980, un producteur de légumes du Lot-et-Garonne souhaite « passer de l'économie de cueillette à l'économie de production ». L'idée est de se spécialiser dans une approche très moderne des fruits et légumes et de devenir son propre distributeur. En 1987, il installe des parcs de serres-verre, un outil performant qui permet de produire toute l'année les variétés de tomates beef, cerise, cocktail, grappes, etc. Un hectare de ces serres fournit 400 tonnes par an et crée huit emplois directs. Bientôt, une quarantaine d'hectares de serres-verre sont installés dans la région de Marmande, traditionnellement productrice de tomates.

En 1989, le pionnier crée, avec six autres agriculteurs, un site de production de huit hectares à Marmande. On rationalise le matériel, le chauffage, les chaînes de conditionnement et la gestion financière : la production bondit, quatre jeunes agriculteurs rejoignent le groupement. Mais rien n'est prévu pour la vente : concurrencée par les producteurs bretons et espagnols, la structure vacille.

En 1996, les serristes et les coopératives créent un groupe commercial puis s'associent à un réseau de producteurs perpignanais et du Sud-Est : cahier des charges, définition du produit et démarche commerciale permettent de vendre 50 000 tonnes de tomates depuis Marmande. En 2000, cette structure commerciale devient, en Europe, la seule capable de fournir des tomates toute l'année. Le client de la centrale d'achat reçoit une tomate cueillie, conditionnée et expédiée dans la journée.

D'après *Journal d'information du Conseil régional d'Aquitaine*, mai 2004.

LA FIN DES PAYSANS DANS LES PAYS DÉVELOPPÉS ?

L'industrialisation de l'agriculture dans les pays occidentaux a diminué le nombre d'agriculteurs au point que certains sociologues et politiques ont parlé de la disparition des paysans. En fait, il s'agit davantage d'une transformation de leur statut professionnel et de leur profil culturel : les paysans sont désormais des chefs d'entreprise condamnés à être compétents s'ils ne veulent pas disparaître.

Nouvelle répartition du travail

Autrefois, les différentes productions étaient associées dans les exploitations ou sur de petits terroirs ; elles sont désormais séparées du fait de la spécialisation par exploitations et par régions. Avec son type de produits, chaque région alimente un marché national ou international. On assiste donc à un partage horizontal du travail agricole.

En amont de la production agricole, des industries fabriquent le matériel et toutes les fournitures nécessaires aux exploitants. En aval des exploitations, les matières premières agricoles sont transformées par divers secteurs de l'industrie : alimentaire (conserveries, meuneries, biscuiteries, laiteries, sucreries, huileries, brasseries, etc.) ; produits non alimentaires (cuirs, textiles, produits pharmaceutiques, parfums, etc.) ; produits destinés à l'agriculture elle-même comme les aliments pour animaux. Les agriculteurs sont donc cantonnés, à de rares exceptions près, à la stricte production de matières premières agricoles dans une répartition verticale du travail.

Les machines et les intrants* étant le fruit de recherches poussées, la conception de nouveaux moyens de production échappe au monde agricole. Leur mise en œuvre est souvent dépendante de techniciens qui déterminent des modes d'emploi précis. La gestion financière des exploitations dépend parfois de comptables, de personnels administratifs.

* Intrant : élément permettant la production agricole (semences, engrais, etc.).

Pourtant, au milieu de tous ces acteurs pratiquement incontournables, l'agriculteur contemporain ne saurait être réduit à un simple exécutant. En effet, pour que le système agraire moderne fonctionne, il faut qu'à la base la pratique soit de bon niveau dans toutes les facettes d'une exploitation. C'est pourquoi la formation scientifique et culturelle des agriculteurs doit être élaborée, ce qui leur permet de gérer au mieux leurs exploitations : un travail de conception et de décision individualisé au plus près du terrain.

Politiques agricoles

Après la Seconde Guerre mondiale, les gouvernements des pays industrialisés adoptent des politiques de développement et d'accélération des mutations agricoles. C'est le cas en Europe en 1957 avec la mise en place d'une Politique agricole commune (PAC) dans le cadre du Marché commun de l'Europe des Six. La PAC vise à garantir l'indépendance alimentaire européenne, la stabilité des marchés agricoles et la garantie de prix rémunérateurs pour les producteurs. Des crédits bancaires avantageux leur sont proposés et, dans certains cas, ils bénéficient d'exonérations de taxes ou de subventions. Le fermage* est soutenu par l'allongement des baux et la limitation des tarifs. Ces mesures diverses sont appuyées par la création d'organismes de recherche et celle de centres d'information et de vulgarisation à l'usage des agriculteurs ; l'enseignement agricole est développé. Les revenus agricoles augmentent et stimulent la production.

* Dans le fermage, l'exploitant verse une redevance annuelle au propriétaire des terres.

Convaincus, pas mal d'exploitants se lancent dans le développement au risque de se suréquiper par rapport à la surface exploitée. Pour corriger ce type de danger, on cherche à libérer des terres en accélérant la disparition des exploitations les moins viables et en encourageant les agriculteurs âgés à prendre leur retraite. C'est ainsi qu'en France, en 1962, on instaure l'indemnité viagère de départ, prime substantielle adoptée par la Communauté économique européenne, réformée en 1980 en indemnité annuelle de départ. Les lois dites « anticumul » interdisent aux agriculteurs possédant une surface suffisante pour rentabiliser leurs équipements d'agrandir leurs exploitations. Les exploitations moyennes disposent ainsi de terres à acquérir. Enfin, en dessous d'une surface minimum, les petites exploitations ne peuvent bénéficier de terres libérées et de certains prêts ou subventions.

Grande exploitation aux environs de Châlons-en-Champagne : premier producteur de blé, de luzerne, d'orge et de betterave sucrière, la Marne compte parmi les treize départements qui suffiraient à assurer l'indépendance alimentaire de la France.

Seuil de renouvellement économique

Pour que les exploitations agricoles fonctionnent durablement, la productivité nette par travailleur agricole doit fournir à ce dernier un revenu capable de satisfaire ses besoins. Ce revenu doit tendre vers celui que le travailleur obtiendrait en exerçant un métier non agricole. Les économistes ont déterminé un seuil financier dit « seuil de renouvellement économique des exploitations agricoles » correspondant au revenu que percevrait un exploitant sur le marché du travail.

Si la productivité nette du travail est inférieure à ce seuil, l'exploitation ne peut pas rémunérer sa force de travail au prix du marché et n'est pas en mesure de renouveler ses moyens de production ; elle est alors en crise et, pour survivre, doit baisser son poste salaire ou diminuer celui des achats en matériel et autres produits nécessaires à la production agricole. En dessous d'un certain seuil dit de survie, l'exploitant ne peut financer ses besoins essentiels et doit renoncer.

Si la productivité nette du travail est proche du seuil de renouvellement, l'exploitation peut alors rémunérer sa main-d'œuvre et renouveler ses moyens de production, mais de nouveaux investissements sont impossibles.

Si la productivité est supérieure au seuil de renouvellement, l'exploitation peut investir et se développer en accroissant sa capacité de production et par conséquent sa productivité.

Les prix agricoles

Cette augmentation considérable de la productivité lance sur le marché des quantités croissantes de produits agricoles. La demande des pays industrialisés peut facilement être satisfaite. De ce fait, les prix proposés aux producteurs fléchissent. Pour compenser cette tendance structurelle à la baisse des prix réels, les agriculteurs doivent s'efforcer de produire davantage, sous peine de voir leurs revenus diminuer dangereusement. Ils sont obligés d'investir. Les exploitations qui ne peuvent le faire ont donc une productivité insuffisante et sont menacées. Cette pression est accentuée par l'intervention à partir des années 1990 de l'Organisation mondiale du commerce (OMC) dont la politique vise à libéraliser au maximum le marché mondial.

Parallèlement au développement de la productivité agricole, les gains de productivité dans l'industrie et les services permettent l'augmentation des salaires réels des employés de ces branches. Une conséquence pour l'agriculture est donc la hausse du seuil de renouvellement économique des exploitations. Peu à peu, les plus petites et les plus affaiblies se trouvent en dessous du seuil de renouvellement qui ne cesse d'augmenter : elles connaissent de plus en plus de difficultés et sont amenées à disparaître.

Ramassage mécanisé de bottes de paille en Charente-Maritime : les agriculteurs s'équipent pour rester productifs.

Sort des exploitations

Les nombreuses petites exploitations sous-équipées et peu productives entrent en crise puis disparaissent après le départ à la retraite du chef d'exploitation. Elles sont démembrées ; les terres et le matériel utilisable sont vendus à des exploitations en développement.

Les grandes exploitations de type capitaliste avec salariés disposent des fonds nécessaires pour investir et acquérir de nouveaux moyens de production. À chaque étape technique, elles se mécanisent tout en diminuant leur personnel. Elles s'agrandissent souvent par reprise d'exploitations cessant leur activité, mais leur extension est toutefois limitée par certaines mesures légales.

Entre ces deux extrêmes, des exploitations moyennes, qui ne comptaient pourtant que quelques hectares dans la première moitié du XXe siècle, ont pu subsister jusqu'à nos jours. Elles se sont agrandies et sont devenues plusieurs dizaines de fois plus productives. Mais, pour cela, chaque génération a dû adopter la motomécanisation et les moyens de production les plus récents en jonglant avec les diverses aides proposées dans le cadre des politiques agricoles. L'augmentation de la productivité a rendu possible des investissements permettant de

Signe de malaise dans leur profession, des agriculteurs manifestent à Grenoble (Isère) le 27 juin 1961.

Le mécontentement des agriculteurs face à la PAC.
Panneau en bordure de route pour alerter l'opinion.

franchir une nouvelle étape de la révolution agricole. Mais nombre d'exploitants ont connu des difficultés, vivant de ressources réduites avant de renoncer.

Au final, au cours du XXe siècle, dans les pays industrialisés, seule une exploitation familiale sur dix a pu franchir toutes les étapes de la seconde révolution agricole.

Inégalités entre agriculteurs

Le développement propre à la deuxième révolution agricole génère des inégalités profondes entre exploitations. Au départ du processus, ce sont les minuscules exploitations qui peinent puis disparaissent. Ensuite, à chaque nouvelle étape du développement, plus une exploitation est productive, plus elle a la possibilité d'investir et de rester dans la course en progressant plus que les autres. Quant aux exploitations qui étaient désavantagées au départ, elles sont en situation défavorable. On assiste donc à un développement à la fois inégalitaire et cumulatif. Si des exploitations familiales arrivent à se maintenir et parfois à se développer en rémunérant le chef d'exploitation très faiblement par rapport au prix du marché, cette situation apparaît alors aux agriculteurs comme particulièrement injuste.

L'inégalité touche aussi les régions avec le phénomène de la spécialisation. C'est parfois le cas entre des régions ayant la même spécialité car la productivité maximum et donc les revenus peuvent énormément varier de l'une à l'autre. Ceci est dû aux inégalités de fertilité et de rendement, mais aussi à la différence de superficie exploitable par travailleur en fonction du relief et de la structure du sol. L'inégalité est encore plus criante quand, dans certaines régions, aucun système de production ne permet d'atteindre le seuil de renouvellement imposé par le développement. L'ensemble des exploitations est donc menacé et la déprise agricole et l'extension des friches frappent ces régions.

De moins en moins d'agriculteurs

Depuis la moitié du XIXe siècle, dans les pays industrialisés, la population agricole ne cesse de baisser. Ainsi, en France, 43 % de la population active travaille dans l'agriculture en 1900 ; en 1987, ce taux n'est plus que de 7,5 %. En 2002, les 610 000 agriculteurs exploitants ne représentent plus que 2,4 % des actifs français. De ce fait, les agriculteurs sont minoritaires au sein même de la population rurale, n'étant plus qu'une catégorie socioprofessionnelle parmi d'autres.

Bien que de moins en moins nombreux, les agriculteurs continuent à être courtisés par les hommes politiques de tous bords. Le 28 février 2004, le président Jacques Chirac rencontre des éleveurs au 41e Salon international de l'Agriculture.

Des observateurs notent qu'en France le déclin du nombre de paysans est celui d'une classe sociale dans laquelle la majorité du peuple a ses origines et s'est identifiée très longtemps. Certains y voient la perte progressive de leurs racines. Cette baisse s'inscrit dans le déclin général de la population des campagnes au profit de la population urbaine. Ce mouvement progressif touche les commerçants, les artisans, les employés des services, etc.

Dans certaines zones rurales, le taux de chômage est élevé, le maintien des services publics est menacé, la vie sociale est extrêmement réduite et, au pire, si l'agriculture n'est plus rentable, on se dirige vers une désertification.

Une gestion collective des exploitations

Afin de gérer plus efficacement leurs exploitations, des agriculteurs se regroupent au sein de structures collectives adaptées. En France, depuis la loi d'orientation agricole de 1960-1962, les Coopératives d'utilisation de matériel agricole (CUMA) regroupent des adhérents dans des buts divers. Ils achètent et utilisent ensemble un matériel souvent très coûteux (ensileuse automotrice, moissonneuse-batteuse...) ; ils réalisent certains travaux d'amélioration foncière comme du drainage ou encore créent en commun un atelier de transformation des produits de leurs fermes, par exemple une fromagerie.

Les Groupements agricoles d'exploitation en commun (GAEC) regroupent les terres de plusieurs agriculteurs afin de dépasser la dimension trop réduite de leur exploitation, de rationaliser le travail, d'assurer la rentabilité des investissements, le tout en conservant le caractère familial de l'agriculture. Les GAEC se développent surtout entre père et enfant afin de favoriser l'installation d'un jeune agriculteur et de faciliter la transmission successorale.

Les Groupements fonciers agricoles (GFA) sont une forme de propriété en commun dont l'objectif essentiel est d'attirer vers l'agriculture des capitaux extérieurs pour l'achat de terres. Cette formule peut aider des successions si les cohéritiers non agriculteurs louent les terres conservées en commun au descendant resté sur l'exploitation.

EXCÈS ET DANGERS DE L'AGRICULTURE PRODUCTIVISTE

Tout système agraire ou moyen de production utilisé sans mesure peut être dangereux pour la nature ou l'homme. Mal maîtrisés, les moyens de l'agriculture moderne, pour certains très puissants, sont néfastes. Parfois utilisés à des doses excessives, les engrais chimiques deviennent toxiques : par le ruissellement, ils peuvent contaminer les eaux des nappes phréatiques. L'utilisation des pesticides pose aussi des problèmes de toxicité. En principe, les produits autorisés ont une faible toxicité pour les mammifères et les hommes. Mais leur accumulation, par ingestion répétée d'aliments en contenant de petites doses, peut produire, à long terme, des intoxications graves.

Protestation contre les importations d'OGM, à l'occasion de l'arrivée à Lorient de 32 000 tonnes de tourteau de soja transgénique en provenance d'Argentine.

Danger dans les champs

En ce qui concerne les plantes, les chercheurs essaient d'améliorer le rendement, la taille, l'aspect et la résistance aux parasites et aux prédateurs. Pour ce faire, depuis quelques années, ils modifient le patrimoine génétique de certaines espèces, obtenant des OGM (organismes génétiquement modifiés).

Les partisans de ces techniques proclament que ces plantes transgéniques contribueraient à la lutte contre la faim dans le monde. Mais cette production est très controversée : des scientifiques pensent que la culture d'OGM en plein champ est risquée tant que l'on n'a pas prouvé que ces produits sont inoffensifs ou dangereux. Le citoyen, qu'il soit producteur ou consommateur, a du mal à se situer par rapport à ces problèmes.

Péril dans les élevages

L'extrême concentration des animaux d'élevage est une source de pollution par l'intermédiaire des lisiers*. Dans certaines régions, leur épandage inconsidéré a conduit à de graves pollutions des nappes phréatiques obligeant parfois les populations à ne plus boire l'eau des adductions. Les médicaments et autres hormones de croissance sont susceptibles de laisser des traces dans les viandes ou le lait, ce qui peut causer des problèmes de santé aux consommateurs.

* Lisier : mélange liquide des urines et excréments d'animaux servant d'engrais.

Élevage intensif de porcs en Russie.

Le peu de scrupules de certains fabricants d'aliments industriels les conduit à produire des aliments frauduleux et dangereux. En 1999, un fabricant n'a pas hésité à intégrer des huiles recyclées interdites dans de l'aliment pour poulets. Dans « l'affaire de la vache folle », qui a débuté en 1996, l'utilisation de carcasses d'animaux contaminés insuffisamment chauffées pour fabriquer des aliments pour bovins a vraisemblablement été à l'origine de la mort, par la maladie de Creutzfeld-Jacob, d'une dizaine de personnes.

Corrections et alternatives

Depuis le début des années 1980, une certaine prise de conscience a conduit des agriculteurs et des responsables politiques à limiter les effets néfastes des nouveaux modes agraires sur l'environnement et à garantir la qualité des produits. Les pouvoirs publics soutiennent aussi l'agriculture dite raisonnée qui tente de concilier la rentabilité économique et la protection de la nature. Elle évite le gaspillage des engrais et en effectue les épandages à des moments opportuns. On ne traite les cultures qu'en cas de risque réel de maladie. La présence de mauvaises herbes et de prédateurs est tolérée afin d'inciter les plantes à développer leur propre résistance. Des précautions sont prises pour éviter les risques de pollution. On veille à fournir une nourriture de qualité aux animaux et on se soucie de leurs conditions d'élevage. Le stockage et l'épandage des lisiers sont réglementés et contrôlés.

Ces pratiques tentent de satisfaire les attentes des consommateurs en matière de qualité et de réduction des risques alimentaires. Dans le même esprit, des appellations d'origine contrôlée ou protégée et divers labels permettent de garantir l'origine et le mode de fabrication de certains produits ; c'est aussi une façon de les valoriser, voire d'améliorer leur qualité.

D'une façon plus engagée, la prise de conscience de la nocivité des pesticides a fait se développer l'agriculture biologique à partir de 1960. Elle remet en pratique des techniques traditionnelles de rotation des sols en assurant leur bonne fertilité. L'appellation « agriculture biologique » garantit que les végétaux ont été produits sans engrais chimiques, sans pesticides de synthèse, mais seulement avec des fertilisants d'origine organique. Un élevage biologique est aussi pratiqué. En France, au début du XXIe siècle, l'agriculture biologique, qui n'occupe que 1 % des sols, progresse, bien que la majorité des produits dits bio soit importée.

L'AGRICULTURE DES PAYS EN DÉVELOPPEMENT

Au cours de la seconde moitié du XIXe siècle, la productivité agricole ne cesse d'augmenter en Europe du Nord-Ouest et en Amérique du Nord dans le sillage de la révolution industrielle. Vers 1900, les systèmes céréaliers sans jachère à traction animale mécanisée sont déjà dix fois plus productifs que la culture manuelle.

Au cours du XXe siècle, l'écart entre l'agriculture des pays développés et celles des autres pays s'amplifie extraordinairement. Dans la seconde moitié du siècle, la majorité des pays en développement plongent dans la crise agraire et, au-delà, dans une profonde crise économique.

Des écarts considérables

Durant les XIXe et XXe siècles, en Afrique, en Amérique latine et en Asie, les très nombreux petits exploitants qui cultivent manuellement restent pratiquement à l'écart des mutations agricoles. La majorité d'entre eux n'a même pas les moyens de pratiquer la traction animale. Aujourd'hui, moins de 30 % des exploitations d'Extrême-Orient y ont accédé ; elles approchent les 20 % en Amérique latine et au Proche-Orient et 15 % en Afrique intertropicale. Les espèces sélectionnées et les intrants, massivement utilisés par l'agriculture des pays développés, concernent très peu les agriculteurs de ces vastes zones.

Seuls les grands domaines et une partie des grandes et moyennes exploitations d'Amérique latine *(latifundia)* et du Proche-Orient ont adopté la motomécanisation et les pratiques de l'agriculture productiviste : 30 % des exploitations utilisent les tracteurs, alors que moins de 10 % le font en Afrique et en Extrême-Orient. Au début du XXIe siècle, la culture manuelle prédomine dans les pays en développement, pratiquée par 40 à 60 % des paysans d'Amérique latine et d'Asie et par plus de 80 % des paysans africains. La formidable progression de l'agriculture productiviste creuse un fossé entre elle et l'agriculture manuelle ; actuellement, ses acteurs les plus performants sont 500 fois plus productifs que les paysans qui cultivent à la main.

Paysan du pays Dogon sarclant son champ avec une houe (Mali).

Concurrence entre agricultures

Au cours de la seconde moitié du XXe siècle, les transports se développent considérablement, permettant d'accéder dans toutes les régions du monde et leur coût baisse. De ce fait, et avec la libéralisation du commerce international, les agricultures mondiales se concurrencent. C'est le cas pour les denrées vivrières de base comme les céréales. Les prix sont désormais identiques dans la plupart des pays du monde, influencés par les exportations d'excédents des pays à agriculture très productive (Argentine, Brésil, Europe, Australie, Nouvelle-Zélande). Dans les pays en développement, l'arrivée de ces céréales provoque une baisse des prix intérieurs des céréales et des denrées substituables. Cette baisse crée d'énormes écarts de ressources entre les agriculteurs des divers systèmes agraires, puisque leurs différences de production sont considérables.

Polyculture traditionnelle sur l'altiplano (haut plateau) péruvien.

Le rapport des cultures vivrières diminuant du fait de la concurrence internationale, les paysans des pays en développement ont tendance à les délaisser tout en conservant une partie destinée à l'autoconsommation. Ils produisent alors des cultures tropicales d'exportation moins concurrencées et privilégient les espèces les plus adaptées aux conditions naturelles. C'est ainsi que des pays se spécialisent dans la production de bananes, d'ananas, de café, de thé, de cacao, d'arachide, de tabac, de coton, etc. Les périodes de haut prix de ces denrées d'exportation favorisent les grandes plantations. Toutefois, dans certaines régions, la petite paysannerie peut se lancer dans ce type de productions et une fraction d'entre elles parvient à se développer.

La diminution des productions vivrières locales coïncide avec une forte demande urbaine. En conséquence, ces pays plongent dans une dépendance alimentaire croissante. C'est le cas pour l'Afrique intertropicale où, entre 1965 et 1985, la production de céréales baisse de 135 à 100 kg par habitant et par an, alors que les importations passent de 10 à 35 kg par habitant. Globalement, on constate que, sur ces vingt ans, la quantité consommable par habitant diminue de 10 kg. Ces mutations vers les cultures d'exportation n'aident pas les pays en développement à améliorer l'alimentation de leurs populations.

Plantations de thé au Sri Lanka. Le thé est une culture d'exportation produite dans de grandes exploitations.

Conséquences à long terme

Des denrées produites par les pays développés concurrencent certaines denrées d'exportation privilégiées par les pays en développement. C'est le cas du soja américain face à l'arachide pour la fabrication d'huile et de tourteaux*, ou encore de la betterave sucrière européenne qui s'oppose à la canne à sucre des tropiques. Au fur et à mesure des progrès de la recherche, des matières premières exportées sont menacées par des produits industriels de substitution plus économiques. Ainsi le coton, le caoutchouc naturel sont-ils fortement concurrencés par les tissus et le caoutchouc de synthèse.

* Tourteau : résidu du traitement des plantes industrielles consommables par les animaux d'élevage.

Peu à peu, les techniques de l'agriculture productiviste se répandent dans les grandes exploitations et chez les paysans les plus aisés ; comme cela s'est produit quelques années plus tôt dans les pays développés, l'augmentation de la productivité entraîne une baisse des prix pour les denrées tropicales d'exportation. On le constate sur le café, le thé ou le cacao non concurrencés par des produits issus des pays tempérés. Les revenus des producteurs de denrées agricoles d'exportation baissent.

Productivisme extrême. Récolte de soja au Brésil à l'aide d'une trentaine de moissonneuses et d'énormes remorques.

Les tout petits producteurs ne se résignent pas à cette situation : ils adoptent les cultures d'exportation les plus rentables, quitte à se déplacer pour les pratiquer dans les lieux les plus favorables. Il s'ensuit parfois que l'offre augmente considérablement et que les prix de ces denrées baissent jusqu'à égaler ceux des denrées vivrières délaissées. Si les prix baissent trop, les paysans reviennent alors vers les cultures vivrières. Ils se tournent aussi vers les denrées périssables (produits laitiers frais, œufs, légumes et fruits fragiles) fortement demandées par les populations urbaines en essor ; la vente de bois est aussi une source de profit. Mais, même avec ces types de production, les revenus des paysans sont menacés par le faible pouvoir d'achat de la population urbaine et par la concurrence des produits de remplacement importés (conserves, surgelés, poudre de lait).

Misère de la petite paysannerie

La baisse des prix agricoles réels qui dure depuis les années 1950 réduit d'abord le pouvoir d'achat des petits paysans cultivant manuellement. Ils ne peuvent alors s'outiller de manière plus efficace et acquérir des intrants. Leur développement agricole est totalement bloqué. La baisse des prix étant continue, ils glissent en dessous du seuil de renouvellement économique. Il leur est pratiquement impossible d'acquérir certains produits manufacturés nécessaires à leur vie quotidienne (vêtements, combustible, médicaments, etc.). S'ils veulent continuer leur activité, ils doivent vendre leurs animaux, réduire la consommation des produits alimentaires qu'ils produisent afin d'en vendre le plus possible, etc. Ils sont menacés par la sous-alimentation.

La force de travail de ces paysans est affaiblie. Ils se consacrent alors aux travaux immédiatement productifs et délaissent des tâches d'entretien de l'écosystème cultivé qui, dès lors, se dégrade. Ils simplifient leurs systèmes de culture et privilégient des plantes peu exigeantes en eau, en fertilité minérale et en travail. Leur alimentation manque de diversité et, avec la diminution des produits animaux, elle est carencée.

Les paysans se rapprochent du seuil de survie. En cas de mauvaise récolte, ils s'endettent pour tenir chichement jusqu'à la suivante : selon les résultats de celle-ci, leur endettement peut s'accentuer et ils ne trouvent plus prêteur. Même en se privant au maximum, ils doivent se résoudre à envoyer une partie de leur famille chercher du travail en ville. En cas d'échec, ils sont obligés de s'exiler et grossissent la population urbaine déshéritée des bidonvilles. Dans des cas extrêmes, les paysans sont réduits à la famine sur place.

Circonstances aggravantes

Des troubles politiques, tels la guerre civile ou le passage de bandes armées, aggravent parfois les difficultés de la petite paysannerie pauvre.

Les facteurs naturels défavorisent l'agriculture dans certaines contrées du monde. En Afrique, c'est le cas des régions sahéliennes à saison des pluies unique et, en Asie centrale et dans les Andes, c'est celui des régions froides d'altitude : les populations ne peuvent guère produire que pour l'autoconsommation et, constamment à la merci d'accidents climatiques ou biologiques, sont confrontées à la disette. Dans des régions d'Afrique et d'Asie pratiquant les cultures irriguées, l'insuffisance d'installations hydrauliques ou leur mauvais entretien ne permettent pas toujours de lutter contre de longues sécheresses ou au contraire de freiner d'importantes crues. La petite paysannerie fait alors les frais de ces carences d'infrastructures.

Mais un des problèmes majeurs des petits paysans est souvent le manque de terres. En culture manuelle, un paysan peut cultiver 0,5 à 2 hectares. Beaucoup d'entre eux ne les possèdent même pas, soit du fait d'une répartition inégale des terres, soit à cause du surpeuplement. En Amérique latine, d'immenses domaines monopolisent la majorité des terres et les paysans possèdent des lopins minuscules nourrissant à peine leur famille. Ils constituent alors une main-d'œuvre sous-payée par les propriétaires au côté des « paysans sans terre » qui se louent comme saisonniers.

Des politiques mal adaptées

Suite au mouvement de décolonisation qui connaît sa période la plus vive de 1945 à 1965, dans les pays dits du Tiers-Monde, l'heure est aux stratégies de développement. Bien des gouvernants des pays indépendants imaginent qu'ils peuvent mettre en place des modèles originaux où la volonté politique imposera sa loi à l'économie.

Beaucoup d'entre eux réalisent des investissements ambitieux (bâtiments publics, grands travaux, centres industriels) peu adaptés aux besoins des populations et aux finances publiques. Des capitaux manquent alors pour l'agriculture et une fraction importante de la main-d'œuvre s'éloigne des campagnes. La production agricole par habitant baisse, accentuant la dépendance alimentaire du pays.

Les États déficitaires devant emprunter à la fois à l'intérieur et auprès d'autres pays et qui ont recours à la création monétaire se retrouvent en inflation. S'ils ne dévaluent pas leur monnaie, ils favorisent les importations, pénalisent leurs exportation et créent une situation néfaste à leur agriculture. Certains d'entre eux pratiquent en outre un protectionnisme industriel qui, en faisant monter les prix intérieurs des produits manufacturés, pénalisent les paysans.

Pour répondre à la forte demande et à la pression d'une population urbaine pauvre en explosion, les gouvernements cherchent à l'alimenter à moindre coût. Ils recourent à des importations à bon marché avec encouragement à consommer et à l'aide alimentaire internationale, obligeant par voie de conséquence des paysans à livrer à bas prix des denrées agricoles. On taxe parfois les produits agricoles exportés afin de financer les importations massives. Ces mesures finissent par dégoûter une partie des producteurs qui arrêtent d'exploiter, ce qui a été le cas en Afrique pour le café.

Manifestation de paysans sans terre, à Recife (Brésil), contre la réforme agraire qui leur a promis une seule parcelle pour cultiver et vivre.

De telles politiques ont été fréquemment pratiquées entre 1960 et 1985. Les pays en développement qui ont fortement taxé leur agriculture ont eu un taux de croissance générale plus faible que les autres. Quant à ceux qui ont soutenu leur agriculture, ils ont obtenu les taux de croissance économique les plus élevés. De plus, leurs politiques agricoles ont réussi à estomper les fluctuations des cours mondiaux et ont souvent stabilisé les prix de leurs productions.

Poids des prix mondiaux

Quand les prix des denrées tropicales d'exportation baissent, des millions de producteurs déshérités des pays en développement ont des revenus qui chutent. S'ils passent en dessous du seuil de survie, ils sont condamnés à la famine et beaucoup d'entre eux migrent vers les villes. Lors de la remontée des cours, ces exilés ne reviennent en général pas à la terre et des paysans mieux équipés assurent à leur place la production qui peut aussi provenir de régions plus favorisées.

Dans le secteur primordial des céréales, lorsque l'agriculture productive est excédentaire, les prix mondiaux sont bas. Alors, l'aide alimentaire abonde et les productions vivrières des pays en développement sont concurrencées par les céréales importées à bas prix : les petits producteurs de banane plantain, d'igname, de manioc, de mil, de patate douce, de riz, de taro, etc. plongent dans la crise avec accentuation de la dépendance alimentaire de leur pays. Si les prix remontent à cause d'une production mondiale de céréales réduite, les producteurs vivriers qui ont disparu ne sont plus là pour relancer suffisamment la production locale alors que la demande urbaine augmente. Le manque d'excédents des agricultures riches réduisant l'aide alimentaire, les dirigeants des pays en développement recourent à des importations coûteuses. Les habitants les plus pauvres diminuent leur consommation, ce qui accentue disettes et famines.

Les fluctuations des cours mondiaux des denrées de base, imposées en grande partie par les résultats de l'agriculture productiviste, se conjuguent avec les conditions plus ou moins favorables rencontrées par les paysans des agricultures des pays en développement. Des secteurs très souvent frappés par la faim se dessinent ainsi dans le monde.

L'exode massif de paysans pauvres vers les villes n'est pas compensé par un gain de productivité agricole. Les investissements internationaux dans ces pays ne suffisent visiblement pas à fournir aux ruraux pauvres des moyens d'existence satisfaisants.

De la misère des campagnes à celle des villes

Depuis plusieurs décennies, des masses paysannes fuyant la misère des campagnes gonflent démesurément les villes des pays en développement. Ainsi, en Afrique, en Amérique latine et en Asie se sont formées des mégapoles à croissance démographique explosive : Mexico, qui comptait 17 millions d'habitants en 1993, en abrite plus de 18 millions en 2005 ; Brasilia, qui ne figurait pas sur la carte en 1960, réunit 1,2 million d'habitants en 1990 et 2,1 millions quinze ans plus tard. Ces villes ne disposent pas d'infrastructures pour accueillir de tels flots de population ni d'activités suffisantes pour les employer. Les nouveaux citadins doivent compter sur la solidarité de ceux qui les ont précédés. Ils s'entassent dans des bidonvilles situés à la périphérie des noyaux urbains où se concentrent les activités administratives et industrielles « classiques » et où vivent les habitants disposant d'emplois et de revenus réguliers. Ils n'ont d'autres alternatives que le chômage, les emplois précaires ingrats et sous-rémunérés du secteur informel (entreprises non déclarées, hors de la législation du travail) ou les petits métiers individuels qui se multiplient à l'infini. Beaucoup survivent ainsi mais d'autres sombrent dans la mendicité, la prostitution ou la délinquance. Un des drames des jeunes citadins africains marginalisés est parfois d'être embrigadés dans des milices ou d'être enrôlés comme enfants-soldats.

Les revenus des gens qui vivent de petits boulots sont à peine supérieurs à ceux que leur procurait l'agriculture pauvre. Mais ce mince avantage pécuniaire continue à attirer des ruraux misérables, en particulier des jeunes, vers les bidonvilles.

Des enfants trient les déchets dans une décharge à Manille (Philippines) afin de les revendre ensuite. Ils vivent dans un bidonville qui a poussé près de cette décharge appelée la « Montagne fumante » en raison des gaz générés par les matières en décomposition.

Une crise générale

La majorité des pays en développement et à agriculture pauvre ont des taux de chômage massifs qui influent énormément sur les salaires. Les journaliers non qualifiés touchent légèrement plus que le coût de leur nourriture quotidienne. Les salaires de l'industrie s'indexent sur le coût de cette main-d'œuvre locale. Dans des pays comme la Chine ou le Viêt-Nam, les salaires sont ainsi trente à quarante fois plus faibles que dans des pays développés. Dans des pays qui, comme la Corée du Sud, ont protégé leur agriculture, les salaires de base approchent ceux des pays développés.

Ces bas salaires qui réduisent les coûts de production tirent vers le bas les prix de tous les biens et services locaux, ce qui provoque une faible rémunération de toutes les catégories d'employés. À travail égal, un salarié d'un pays en développement touche beaucoup moins qu'un salarié d'un pays développé. Les rapports d'échanges entre pays développés et pays en développement sont donc très défavorables à ces derniers. De plus, depuis le milieu du XXe siècle, les prix des denrées agricoles et des matières premières baissent par rapport à ceux des produits manufacturés. Les pays en développement, majoritairement importateurs de produits manufacturés et exportateurs de denrées alimentaires et de matières premières, vivent donc une dégradation supplémentaire de leurs échanges extérieurs.

À cela s'ajoutent souvent les politiques qui n'ont assuré ni développement industriel ni organisation d'une agriculture rentable et efficace. Au contraire, ces politiques tributaires d'importations de matériels ont accéléré les déficits extérieurs et par là même l'endettement auprès d'autres États, de banques ou d'institutions financières internationales. Après 1970, bien des pays en développement surendettés se sont trouvés piégés financièrement et ont été plongés dans une grave crise économique.

Les poulets européens contre l'économie africaine

Dans les pays en développement, l'élevage des volailles par les familles pauvres est une activité primordiale ; elle permet en effet d'améliorer l'agriculture familiale dont dépend directement la vie de centaines de millions d'êtres humains.

Les entreprises européennes – et en particulier françaises – intensifient leurs productions de volailles et se délocalisent (Brésil, Thaïlande) pour réduire leurs frais et tirer les prix à la baisse. La filière industrielle englobe l'élevage, la transformation et le contrôle de la distribution vers le consommateur final.

En Afrique, on aboutit ainsi à une véritable invasion de produits avicoles souvent surgelés. En 2003, le Cameroun importe 22 154 tonnes de poulets congelés contre 978 tonnes en 1996 ; en cinq ans, les volumes de découpes (ailes, cuisses, filets...) importés au Sénégal décuplent. En 2004, à raison de 0,50 euro le kilo, ces produits concurrencent sévèrement le poulet africain vendu entre 1,80 et 2,40 euros le kilo.

Dans ces pays économiquement fragilisés, l'afflux massif de chair de volailles favorisé par les baisses de barrières douanières entraîne l'effondrement des activités avicoles. De janvier 2000 à janvier 2004, 70 % des élevages sénégalais de poulet de chair disparaissent ; au Cameroun, sur un échantillon de 100 éleveurs identifiés en 1991, seuls 8 subsistent en 2002. Des emplois disparaissent tant chez les producteurs de maïs qu'en ville dans les branches de transformation et de commercialisation. Enfin les consommateurs qui, à cause des bas prix, achètent du poulet importé contribuent à affaiblir la production et les marchés locaux d'autres viandes.

D'après *Lettre du CCFD*, octobre 2004.

QUEL AVENIR POUR L'AGRICULTURE MONDIALE ?

Il apparaît à de nombreux observateurs qu'avec la poursuite de la libéralisation accrue des échanges et celle du fonctionnement économique mondial actuel, les écarts entre les pays les plus riches et les pays les plus pauvres ne cesseront de s'accentuer. Ces écarts seront encore plus importants si les agriculteurs les plus défavorisés ne progressent pas. Les conséquences seront tragiques : délabrement de l'économie d'une majorité des pays en développement avec tous les problèmes qui en découlent et progression de la faim dans le monde. Des économistes, des ingénieurs agronomes, des membres d'organisations humanitaires, convaincus de l'impasse actuelle, avancent des solutions pour valoriser l'agriculture dans les pays en développement et par conséquent lutter contre la crise mondiale.

Promouvoir des réformes foncières

Afin que les paysans des pays en développement puissent subsister, il est nécessaire qu'ils possèdent suffisamment de terres, non seulement pour assurer leur nourriture et celle de leur famille, mais aussi pour dégager des revenus leur permettant d'être des acteurs dans la vie économique de leur pays. La réforme foncière est donc une des premières mesures à mettre en place dans de nombreux pays où les paysans disposent actuellement de surfaces trop exiguës pour vivre de l'agriculture.

Mais une politique de redistribution des terres est susceptible d'occasionner de forts remous dans les pays concernés et il n'est pas envisageable de s'immiscer dans le fonctionnement intérieur des États. Toutefois, des institutions internationales comme l'Organisation des Nations Unies pour l'alimentation et l'agriculture (FAO), le Fonds international pour le développement agricole (FIDA), la Banque mondiale et les banques régionales de développement sont susceptibles d'envisager et de soutenir des politiques foncières novatrices. Ces politiques, au-delà de leur lancement, doivent s'accompagner de dispositifs légaux pour éviter de nouvelles concentrations de terres, pour affecter judicieusement les terres libérées, pour faciliter l'installation des jeunes agriculteurs pauvres. Des mesures financières, avec en particulier des politiques de crédit à faible taux, doivent permettre aux agriculteurs d'acquérir le matériel et les intrants nécessaires à l'exploitation de leurs terres. De telles politiques, exigeantes et difficiles à mener à bien, sont susceptibles de favoriser le développement d'une petite paysannerie qui actuellement éprouve les pires difficultés à survivre.

Adapter les méthodes agraires

Il apparaît que les nombreuses innovations développées dans le cadre de la révolution agricole contemporaine, semences sélectionnées, engrais, pesticides, sont peu adaptées aux économies agricoles des pays en voie de développement. En effet, ces intrants coûtent cher et ne sont donc utilisables que par ceux qui disposent d'argent ; à l'heure actuelle, seules de grandes exploitations les utilisent en ayant des rendements importants obtenus avec le concours de peu de main-d'œuvre. Il paraît plus intéressant qu'avec des techniques agraires simples, de nombreux paysans augmentent sensiblement les rendements de leurs cultures tout en vivant de leur travail. F. de Ravignan, agronome, cite un projet au Burkina Faso qui,

Aux abords de la ville chinoise de Guangzhou (Canton), de petits fermiers ont établi leurs champs.

au-delà des années 1990, prévoyait la production intensive de 12 000 tonnes de riz sur un périmètre irrigué. Un accroissement de 10 % de la production de 500 000 familles burkinabaises en agriculture traditionnelle aurait alors généré 75 000 tonnes de riz avec une amélioration des conditions de vie des paysans.

Le développement d'une petite paysannerie viable semble passer par l'exploitation des savoir-faire, fruits de l'expérience de nombreuses générations. Il est primordial de conserver et de promouvoir les systèmes de production complexes combinant cultures, élevages et arboriculture qui renouvellent la fertilité et réduisent les risques biologiques et économiques. En ce sens, les infrastructures démesurées concernant par exemple l'irrigation devront être revues au profit de projets plus adaptés aux systèmes agricoles permettant l'existence de petites exploitations rentables.

Revaloriser l'économie des pays pauvres

Dans les pays en développement, une des causes majeures de l'exode rural est l'extrême faiblesse des revenus. Cette pauvreté provient en très grande partie du niveau très bas des prix agricoles. Il est donc nécessaire que progressivement ceux-ci soient très nettement revalorisés ; des auteurs parlent d'une multiplication par trois ou quatre.

Il sera ainsi peut-être possible, en complémentarité avec les mesures proposées précédemment, de freiner l'exode vers les mégapoles en offrant des conditions de vie décentes aux paysans. Ces derniers pourront alors réaliser des investissements productifs en matériel et en intrants pouvant améliorer la production agricole et permettre à ces pays de retrouver la voie d'une économie paysanne.

Ces augmentations des prix agricoles ne pourront s'effectuer qu'en supprimant les charges directes ou indirectes : taxation des denrées exportées, subvention aux aliments importés, livraisons obligatoires, etc. Mais il faudra aussi protéger les agricultures intérieures en taxant des denrées agricoles de base importées comme les céréales. En effet, une politique de relèvement des prix agricoles n'est pas compatible avec la poursuite effrénée du libre-échange.

Cette valorisation de l'économie agricole devrait entraîner un relèvement général des salaires dans les pays en développement. Les hausses consécutives des aliments et des produits manufacturés sur place subies par les consommateurs locaux devraient être compensées par une augmentation du pouvoir d'achat de la population. Mais de telles propositions ne peuvent être envisagées que sur le long terme et avec une mise en place progressive.

Ces modestes pêcheurs cambodgiens possèdent la télévision, un symbole économique important dans de tels pays.

Le coût de l'ensemble des produits exportés par les pays en développement augmentera. Les économies des pays importateurs en supporteront la charge mais, en compensation, leurs produits manufacturés seront moins concurrencés par ceux qui, venant d'entreprises délocalisées, arrivent aujourd'hui chez eux à des prix dérisoires.

Du court au long terme

Les experts s'accordent pour dire que les ressources actuelles sont suffisantes pour nourrir toute l'humanité. Mais la situation globale de l'agriculture et le mécanisme des échanges mondiaux n'assurent pas une juste répartition des moyens. Dans l'immédiat, l'aide alimentaire charitable, indispensable dans des secteurs très sinistrés, n'est qu'une réponse à court terme qui ne s'attaque pas aux racines du mal.

Proche des solutions avancées pour valoriser les agricultures pauvres, l'idée des partisans du commerce équitable est de vendre dans les pays développés des produits de qualité provenant de pays en développement, en payant convenablement les producteurs. Ce système améliore le revenu de ceux-ci, mais est loin d'être équitable par rapport aux nations productrices car transport, conditionnement, commercialisation sont gérés par les pays riches qui récupèrent la majeure partie de la valeur ajoutée. D'autre part, les transactions portent sur des cultures vivrières des pays concernés.

Une femme extrait les derniers litres d'eau d'une des rares pompes installées dans sa région avec l'aide de pays développés (avril 2000, période de sécheresse en Éthiopie).

En République dominicaine, les primes de développement apportées par le commerce équitable à cette petite coopérative lui ont permis d'investir dans des infrastructures améliorant la qualité de sa production de bananes : par exemple, l'achat d'une balance ou l'installation de bacs de lavage...

La véritable alternative est donc que les agricultures produisent en priorité leur nourriture dans des conditions profitant à l'ensemble de leur population. Mais les États bloquent car ils sont de plus en plus liés par des règles internationales, lesquelles reflètent les options du marché mondial qui les empêchent d'innover. L'horizon peut sembler être totalement bouché. Pourtant, des mouvements de pensées se veulent acteurs d'un changement. Parmi eux, les alternatifs pensent que le salut ne peut venir que du levier des mobilisations citoyennes, les mouvements dits « du Nord et du Sud » ayant vocation à coaliser leurs solidarités. Porteurs de l'idée d'un changement culturel, au-delà des solutions techniques à court terme, ils cherchent à établir des rencontres entre communautés concernées dont la tâche prioritaire consiste à s'efforcer de reconstruire leur société.

Les révolutions vertes

Dans les années 1960, face à la forte croissance de la population et aux problèmes de la faim dans les pays en développement, on pense que la solution est l'augmentation de la production agricole dans un court laps de temps. Les États-Unis, dont les chercheurs ont mis au point des variétés hybrides pour les cultures vivrières à haut rendement, lancent la « révolution verte » en Inde, aux Philippines, en Thaïlande, au Mexique et, à un moindre degré, en Afrique. À l'aide de la fertilisation, de traitements, de gestion de l'eau, les variétés de blé, riz, maïs, soja ont effectivement largement augmenté la production. Mais seuls les paysans les plus fortunés peuvent supporter les frais nécessaires pour réussir ces cultures. La petite paysannerie reste à l'écart de ces opérations qui ne produisent pas les résultats escomptés.

Lancée en 1994, « la révolution doublement verte » essaie de s'adapter aux conditions locales et tente de concilier l'augmentation des rendements et la protection de l'environnement. Prenant le contrepied de la révolution verte, elle privilégie le développement sur le long terme et s'inscrit dans le mouvement du développement durable, connaissant quelques succès en Inde et au Brésil, mais des revers en Afrique.

Bassins pour l'étude de l'azolla à l'Institut international de recherche sur le riz, aux Philippines.
L'azolla est une fougère aquatique dont la décomposition fournit un engrais naturel pour la culture du riz.

Abattis-brûlis : système agraire consistant à défricher une portion de forêt, à brûler les végétaux sur place puis à cultiver sur l'espace dégagé et ainsi fertilisé avant de le rendre à la friche et de recommencer l'opération sur une autre parcelle.

Agraire (système) : type d'agriculture historiquement daté et géographiquement localisé qui se caractérise par un écosystème cultivé, un système social productif défini et une technicité particulière.

Agronome : spécialiste de l'étude scientifique des relations entre les plantes cultivées, le milieu et les techniques agricoles.

Amendement : substance incorporée au sol pour le rendre plus fertile.

Assolement : répartition et rotation des cultures sur les parcelles ou soles d'une exploitation.

Bétail : animaux d'élevage d'une exploitation agricole à l'exception des volailles.

Biomasse : masse totale des êtres vivants subsistant en équilibre sur une surface donnée du sol ou dans un volume donné d'eau douce ou océanique.

Céréale : plante, généralement de la famille des graminées, dont les grains, surtout réduits en farine, servent à la nourriture de l'homme et des animaux domestiques.

Défrichement (ou défrichage) : action de débarrasser un terrain inculte de sa végétation sauvage pour le rendre propre à la culture.

Domestication : action d'apprivoiser un animal sauvage en le rendant capable de vivre dans l'entourage de l'homme. Pour une plante, capacité de l'homme à maîtriser sa croissance et sa reproduction. La domestication est une des caractéristiques principales de la néolithisation.

Drainage : aménagement d'un terrain trop humide pour faciliter l'écoulement des eaux.

Écosystème : système formé par un environnement géographique et climatique, et par l'ensemble des espèces qui y vivent, s'y nourrissent et s'y reproduisent.

Engrais : produit organique ou minéral incorporé au sol cultivé pour en maintenir ou en accroître la fertilité.

Érosion : ensemble des actions externes (eaux, agents atmosphériques...) qui provoquent la dégradation du sol et du relief.

Évapotranspiration : ensemble des phénomènes d'évaporation de l'eau du sol et des nappes liquides, et de transpiration des végétaux.

Fertilité : qualité d'un sol, d'une région qui peut donner d'abondantes récoltes.

Finage : territoire agraire d'une communauté rurale, hameau ou village. Il peut être constitué de champs cultivés, de friches et de parties boisées.

Fourragère (plante) : plante cultivée pour l'alimentation des animaux domestiques.

Friche : terrain qui a connu une utilisation agricole puis a été abandonné.

Fumier : mélange fermenté des litières et des déjections des animaux domestiques, utilisé comme engrais.

Guano : matière de formation très ancienne, provenant de l'accumulation de cadavres et d'excréments d'oiseaux marins, employée comme engrais.

Humus : substance superficielle du sol résultant de la décomposition partielle, par les microbes propres à celui-ci, des déchets végétaux et animaux.

Hydroagriculture : agriculture pratiquée dans des régions très sèches ou, au contraire, très humides et chaudes, basée sur une gestion systématique et rigoureuse de l'eau disponible.

Industrielle (plante) : plante cultivée afin d'être transformée par l'industrie pour la fabrication d'aliments (sucre, huile...) ou de produits divers (tissu, caoutchouc, teinture, parfum...).

Irrigation : apport d'eau sur un terrain cultivé en vue de compenser l'insuffisance des précipitations et de permettre le plein développement des plantes.

Jachère : terre non cultivée temporairement dans un système de culture.

Labour : action d'ouvrir et de retourner la terre afin de l'ameublir, d'enfouir ce qu'elle porte en surface et de préparer ainsi un ensemencement ou des plantations.

Légumineuses : plantes dont le fruit est une gousse, sac à deux valves renfermant des graines qui sont consommées comme nourriture ; des légumineuses sont aussi exploitées comme fourrage. Elles nourrissent le sol en azote et peuvent être utilisées comme « engrais vert ».

Monoculture : culture unique ou largement dominante d'une espèce végétale dans une exploitation agricole ou une région.

Néolithisation : passage des sociétés préhistoriques du stade de la prédation à celui d'une économie marquée notamment par l'apparition de l'agriculture, de l'élevage et de la sédentarisation.

Nitrate : sel de l'acide nitrique. Employés comme engrais, les nitrates constituent le principal aliment azoté des plantes.

Oasis : dans un désert, petite région fertile grâce à la présence d'eau. Dans les oasis, on pratique l'hydroagriculture.

Pacage : lieu où l'on amène paître le bétail.

Parcelle : en agriculture, pièce de terrain d'un seul tenant généralement de même culture ou de même utilisation ; une exploitation agricole comprend plusieurs parcelles.

Photosynthèse : par ce phénomène, les végétaux à chlorophylle absorbent une partie du gaz carbonique de l'atmosphère, décomposant l'eau absorbée par leurs racines, fabriquent des composés organiques qui emmagasinent l'énergie nécessaire à la vie et rejettent de l'oxygène.

Physiocrate : partisan d'une doctrine élaborée par certains économistes du XVIIIe siècle considérant la terre et l'agriculture comme sources essentielles de la richesse.

Polyculture : culture d'espèces végétales différentes dans une même exploitation agricole, une même région.

Potasse : chlorure de potassium utilisé comme engrais.

Prédation : mode de subsistance de l'homme vivant de la cueillette et de la chasse.

Protoculture : action de semer des plantes sauvages en vue de les récolter et de les multiplier ; cette étape précède la domestication des plantes.

Protoélevage : conservation d'animaux sauvages en captivité pour en exploiter les ressources et les faire se reproduire ; cette étape précède la domestication des animaux.

Rotation agraire : succession, sur une période donnée, d'un certain nombre de cultures, selon un ordre déterminé, sur une même parcelle.

Sarclée (plante) : plante dont la culture fait l'objet de nombreux travaux du sol (binages, sarclages...) qui consistent à détruire les « mauvaises herbes » ; les plantes sarclées (betteraves, pommes de terre...) sont considérées comme des « plantes nettoyantes ».

Serre : construction à parois translucides permettant de créer pour les plantes des conditions de végétation meilleures que dans la nature.

Sol : partie superficielle, meuble, de l'écorce terrestre soumise à l'érosion et à l'action de l'homme.

Superphosphate : produit obtenu par traitement du phosphate tricalcique par l'acide sulfurique et utilisé comme engrais.

Vivrière (culture) : se dit des cultures dont les produits sont directement destinés à l'alimentation humaine.

QUELQUES OUVRAGES

pour se documenter et réfléchir

Histoire des agricultures du monde,
Marcel Mazoyer, Laurence Roudart
Seuil, 2002.

Histoire de la France rurale,
sous la direction de Georges Duby
Seuil, 1992.

Dictionnaire de géographie,
Pascal Baud, Serge Bourgeat, Catherine Bras
Hatier, 2003.

La Faim, pourquoi ?
François de Ravignan
La Découverte, 2003.

Index

Index

En couverture :

Battage mécanisé du blé dans la région toulousaine, en 1949. Le transport des bottes se fait encore à dos d'homme.
© Jean Dieuzaide

En haut :
Outils utilisés par les premiers agriculteurs, au manche en bois de cerf : une houe, deux faucilles et une hache en pierre polie. IVe et IIIe millénaires avant notre ère.
© Musée national suisse, Zurich

Bandeau (de gauche à droite, 4e puis 1re de couv.) :

1— **Scène de labour gravée sur un rocher du mont Bego (Alpes-Maritimes) vers 2000 avant notre ère.**
© Georges Delobbe

2— **Un paysan gaule les noix. Portail de la cathédrale d'Amiens (Somme), XIIIe siècle.**
© Caisse nationale des Monuments historiques et des Sites/J. Feuillie

3— **Scène de labour. Enluminure espagnole, XIIIe siècle.**
© Giraudon

4— **Une ferme modèle au XIXe siècle.**
© Jean-Loup Charmet

5— **Semoir à arachide au Sénégal.**
© Hoa-Qui/G. Gasquet

6— **Élevage de poules pondeuses.**
© Sunset/Holt Studios

Crédits iconographiques
Musée d'histoire, Oslo (Norvège) : p.3 - Centre Guillaume le Conquérant, Bayeux (Calvados) : p.5 - AKG-Images : p.61 ; /Werner Forman : p.6 ; /Joseph Martin : p.56 - Patrick Paupe : p.8 - C.R.F.J. : p.11 - Musée des Antiquités nationales : p.13 *(gauche)* - CRDP d'Aquitaine/P. Bardou : p.13 *(droite)* - Corbis/Werner Forman : p.14 ; /Sygma/Patrick Robert : p.25 ; /Yann Arthus-Bertrand : p.26 ; /Charles O'Rear : p.70 ; /Sygma/Hervé Collart : p.80 ; /Saba/David Butow : p.94 ; /Howard Davies : p.96 ; /Sygma/Céline Amiot : p.97 *(haut)* - Archives Pierre et Anne-Marie Pétrequin : p.15, 24 - P. Colombel/DR : p.16 - Réa/Pascal Parrot : p.19 ; /Richard Damoret : p.66 - Jean-Charles Rey : p.21 - Hoa-Qui/Jacana/Nature PL/Jurgen Freund : p.28 ; /Christian Vaisse : p.32 ; /Grandeur Nature/Claudius Thiriet : p.73 ; /Michel Renaudeau : p.83 ; /Patrick Escudero : p.84 ; /Explorer/E. Sampers : p.85 - Photo RMN/Chuzeville : p.30 ; /René-Gabriel Ojéda : p.43 ; /Hervé Lewandowski : p.54 - CNRS/Chéné-Foliot : p.36 - Cliché Roger Agache - Ministère de la Culture : p.37 - Bibliothèque municipale de Dijon (Côte-d'Or) : p.41 - Bibliothèque royale de Bruxelles (Belgique) : p.42 - Giraudon : p.45 - Bridgeman : p.53 - Bulloz : p.59 - Jean-Loup Charmet : p.60 - Rue des Archives/CCI : p.62 - L'Illustration : p.64 - Sunset/Weiss : p.67 - Danyel Peyrot : p.68 - Imagefrance.com/Philippe Renault : p.74 - Keystone-France : p.75 - Gamma/Jean-Michel Turpin : p.76 ; /R.I.A. Novosti : p.80 ; /Antonio Ribeiro : p.86 ; /Richard Vogel : p.91 ; /Patrick Aventurier : p.99 - AFP/Patrick Kovarik : p.77 - Sipa/Maisonneuve : p.79 - Kaare Viemose/DR : p.97 *(bas gauche et droite)* - DR : p.51.

Illustrations : Bernard NICOLAS, p.9, 18, 26, 30, 31, 33, 36, 44, 47, 58.

Recherche iconographique : Fabienne LAGORCE.

Secrétariat de rédaction et corrections : Karine DELOBBE.

Suivi éditorial : Jean-Louis LIENNARD.

Cartographie, maquette : PEMF. *Maquette de la couverture :* Studio Mango - PEMF.

Imprimé en France par : Imprimerie Moderne de l'Est (Baume-les-Dames, Doubs).

Dépôt légal : Mai 2005

N° Éditeur : 2005/10342